» LA GAJA SCIENZA «

VOLUME 1156

AVRÒ CURA DI TE

Romanzo di
MASSIMO GRAMELLINI
e
CHIARA GAMBERALE

LONGANESI

PROPRIETÀ   LETTERARIA   RISERVATA
Longanesi & C. © *2014 – Milano*
Gruppo editoriale Mauri Spagnol

www.longanesi.it

ISBN 978-88-304-3668-8

Di Massimo Gramellini nel catalogo Longanesi:
Cuori allo specchio
L'ultima riga delle favole
Fai bei sogni
La magia di un Buongiorno

e nelle edizioni tascabili TEA:
L'ultima riga delle favole

I versi di Pablo Neruda sono tratti da *No sólo el fuego,*
da *Los Versos del Capitán,* Espasa Calpe, Barcellona, 2012

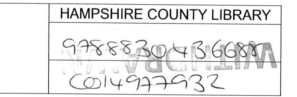
Per essere informato sulle novità
del Gruppo editoriale Mauri Spagnol visita:
www.illibraio.it

Per le immagini di copertina: foto © *Jean Fan / Trevillion Images;*
© *Fotosenmeer / Shutterstock;* © *Dorling Kindersley / Getty Images;*
© *Evgeniya Tiplyashina / iStockphoto;* © *jitalia17 / iStockphoto;*
© *Tarchyshnik / iStockphoto;* © *sidmay / iStockphoto*

AVRÒ CURA DI TE

In ognuno di noi c'è un altro
che non conosciamo.

Carl Gustav Jung

A Luciano Segre,
che ci legge dal Chissà Dove

CHIARA GAMBERALE
è Gioconda, detta Giò.

MASSIMO GRAMELLINI
è Filèmone, il suo Custode.

Questo libro si è avvalso
della consulenza angelica
di Elisa Galletta

PROLOGO

Da qualche parte nell'Universo esiste un mondo non visibile agli occhi in cui si aggirano sagome vibranti di luce. Sono le anime degli Innamorati Eterni e palpitano a coppie, trovando l'una nell'altra le ragioni del proprio splendore.

Quasi sempre la vita le separa, con uno di quegli impedimenti che fanno la fortuna dei romanzi d'amore. Ma appena l'esperienza terrena finisce, gli Innamorati Eterni si ritrovano in una dimensione concepita apposta per loro, dove il cielo ha il colore degli oceani e le nuvole assomigliano a scogli innaffiati di schiuma.

C'era una coppia, sotto un arco rosa, e a essa si accostò Rafa-El, l'Arcangelo della Cura. « La Custodita ha bisogno di aiuto » esordì.

« Non riesco più a stabilire un contatto con lei » rispose l'Innamorato. « La paura e il disincanto ostruiscono la via. »

« Il dolore le ha appena aperto un varco attraverso il quale la tua voce potrà passare. »

« Sai quanto sia difficile fare intendere il linguaggio dei sentimenti a chi crede che esistano soltanto i pensieri e le emozioni. »

« Ma è proprio questo il tuo compito. Aiutarla a

percorrere lo stretto sentiero che dalla testa scende alle viscere e dalle viscere risale fino al cuore. »

L'Arcangelo della Cura prese congedo e all'Innamorato non rimase che cercare conforto nella luce che brillava al suo fianco.

« Di tutte le imprese, è la più ardua che mi sia mai stata affidata » sospirò.

« Io sento che la Custodita è pronta per spiccare il volo » disse l'Innamorata, la cui voce d'argento faceva dimenticare tutte le altre. « Va' da lei, Filèmone. E restituiscile il senso del meraviglioso. »

I

Ciao tu.

No, forse è meglio: be', allora? Anzi: ti ricordi di me? Perché io no, non mi ricordo di te. A dirla tutta, non credo di averti mai conosciuto, ma quando si è in caduta libera ci si attacca a qualsiasi appiglio e...

Scusa. Mi rendo conto: non si chiede aiuto così. Ma io non l'ho mai saputo chiedere, aiuto. Eppure ora lo chiedo a te, anche se probabilmente non esisti: proprio perché probabilmente non esisti.

« Grazzie alla Vita, all'Amore e al mio Angelo Custodde ti ho incontrato! Buon San Valentino. Gioconda. »

Ho trovato questo biglietto improbabile nel cassetto del comodino della mia nuova stanza da letto, nella casa dove i miei nonni hanno vissuto per sessantuno anni. Insieme.

Prima se n'è andato lui, sei mesi dopo l'ha raggiunto lei. Da mia nonna, a parte questa casa, ho ereditato soltanto il nome, Gioconda, che mai come adesso mi schiaccia come una beffa. Perché la fiducia nella vita e nell'amore decisamente no, non li ho ereditati.

Così stanotte non mi rimane che rivolgermi a te.

Sai, angelo (perdonami, il momento m'impone una certa ritrosia per le maiuscole)? Fin da piccola facevo un incubo, sempre lo stesso. Davano una festa meravigliosa per il mio compleanno. Mia nonna cucinava i dolci che le venivano meglio, mio padre e mia madre scoprivano improvvisamente di essere ancora pazzi l'uno dell'altra. Il colore dei festoni era intonato al tantissimo che mi esplodeva dentro: i palloncini avevano tutte le forme – di stella marina, di piede, perfino di unicorno – e?

E al dunque, quando sarebbero dovuti arrivare gli invitati, non si presentava nessuno. Passavano i minuti, le ore. La mousse al cioccolato della nonna cominciava ad afflosciarsi, i palloncini a sgonfiarsi, i miei genitori a litigare. E continuava a non presentarsi nessuno.

Mi ha perseguitata per tutta l'adolescenza, quell'incubo. E poi ancora. Fino a quando ho incontrato Leonardo. Ma da due mesi l'incubo è tornato. Perché da due mesi l'unico invitato che era riuscito a dare un senso alla mia festa se n'è andato per sempre.

Così eccomi in questa casa, nuova e vecchissima. Con il biglietto di mia nonna tra le mani, carico di errori e di passione.

Ci credi, angelo con la minuscola? Per la prima volta, ora che sono sola, mi accorgo che il 14 febbraio potrebbe essere un giorno diverso, addirittura bello, per chi solo non è. Mentre fino a oggi mi era sempre parso un giorno inutile, a uso e consumo di chi coltiva talmente poco la sua vita interiore da avere bisogno di un'occasione per ringraziare cose come l'Amore o come l'Angelo Custodde. Cioè, con tutto il rispetto, una via di mezzo fra Babbo Natale e l'illusione ottica.

A cui però ora chiedo aiuto.

Per avere che cosa non lo so. Forse il segreto degli amori che durano sessantuno anni. O il mistero di quelli che non arrivano nemmeno a cinque.

Giò

P.S. Metto la mia lettera nel cassetto dove ho trovato il biglietto della Gioconda giusta. Giusta perché alla sua festa un invitato speciale non si è limitato a presentarsi, ma è rimasto davvero. Domattina mica aspetto di trovarci la tua risposta, angelo con la minuscola. In una notte troppo lunga e troppo vuota, mi basta avere anch'io qualcuno a cui scrivere.

Bentornata, Giò.

Perché tu riuscissi a sentire di nuovo la mia voce ci voleva questa oscura notte dell'anima in cui tutto sembra perduto e quindi ridiventa possibile.

Dubiti della mia esistenza, eppure un tempo ero il tuo compagno di giochi preferito. L'amico fantastico a cui confidavi qualsiasi scoperta suscitasse la tua meraviglia.

Per chiamarmi chiudevi gli occhi, spingendo le palpebre in basso con le mani. Ma qualche volta li tenevi aperti e allora mi trasformavo nell'ombra dei tuoi capelli riflessa sul muro.

La mia voce risuonava lieve e infallibile dentro di te. Finché il mondo degli adulti è riuscito a convincerti che soltanto i matti chiudono gli occhi per vedere e parlano con la propria ombra riflessa sul muro. I matti e gli innamorati. Ed è per farti accettare dal mondo che hai smesso di ascoltare le mie parole, coprendole con il frastuono delle sue distrazioni.

Ho provato ad apparirti in sogno, la specialità della casa. Ma mi confondevi tra gli incubi: la festa di compleanno a cui non arrivava mai nessuno. Ero con te anche lì. Come quando incontrasti tuo marito: Leonardo e la Gioconda, che senso dell'umorismo ha la vita.

Ho fatto il tifo per voi, finché è stato possibile. Ma sei proprio sicura che la conclusione di una storia rappresenti la fine di tutto? Inizio e fine sono così relativi... È una delle prime cose che scopri da questa parte del velo.

Con uno slancio di ingenuità che ti fa onore, mi domandi il segreto degli amori che non si fanno mai male. Come se, nel mondo deperibile della materia, potessero esistere davvero. Ogni passione umana assomiglia a un romanzo ed è in un alternarsi continuo di tensioni e rilassamenti che procede la trama, se vuoi che serva a qualcosa. L'importante è approdare vivi all'ultima riga.

Tu conosci bene le emozioni. Intense e brevi, increspano la superficie e poi esplodono, lasciando un vuoto che va riempito con dosi di adrenalina sempre più forti. Conosci un po' meno bene i sentimenti. Lenti e noiosi, talvolta. Esposti ai venti della vita. Eppure capaci di durare. Benedetto il giorno in cui gli uomini proveranno il desiderio di esplorarli. Vorrà dire che avranno smesso di averne paura.

Per il tuo quindicesimo compleanno uno spasimante respinto ti regalò una maglietta nera su cui campeggiava a caratteri rossi una frase attribuita a Re Artù e ai cavalieri della Tavola Rotonda: «Siamo stati costretti ad andare per il mondo in cerca di avventure perché non eravamo più capaci di viverle nei nostri cuori».

Il sentimento è quel genere di avventura interiore da cui tutti scappano.

Anche tuo marito.

Anche tu.

Ma ora sono di nuovo qui. Non posso impedirti di inciampare. Però posso medicare il tuo piede ferito. E prenderti in braccio, fino a quando non sarai in grado di camminare sulle tue gambe.

Buona festa dell'amore, solitaria anima mia.

Avrò cura di te.

Filèmone

II

16 febbraio

Ho avuto bisogno di due giorni per riprendermi.

Vorresti dire, insomma, che... Che io scrivo a un angelo e lui mi risponde?

O sono in preda alle allucinazioni, oppure è il mondo che per venirmi incontro ha deciso di impazzire. Ma sai che c'è? In entrambi i casi mi sta bene.

Fra la realtà e il cassetto di mia nonna dove ieri mattina ho trovato la tua lettera, ho troppi problemi per non credere al cassetto di mia nonna. E allora ci credo, anche se preferisco non rileggere attentamente, riga per riga, quello che scrivi, perché amici d'infanzia immaginari e angeli che mandano auguri di San Valentino non sono esattamente il genere di cose su cui faccio affidamento...

Ma su cosa e su chi faccio affidamento, io, adesso? Su niente. Su nessuno.

E nessuno me l'ha mai detto, nemmeno Leonardo, ora che ci penso. Nessuno mi ha mai detto: avrò cura di te.

Giò

P.S. Filèmone? Ma che nome è, Filèmone?

Non credo ti interessi sapere che nome sia, ma chi ci sia dietro.

Sono il suono sommesso che ti svuota la mente e ti fa muovere la mano sul foglio, dando vita a questa scrittura che ti sorprende perché non è la tua e a pensieri che ti sorprendono benché siano i tuoi.

Sono una bolla di sapone legata al cielo da un filo sottilissimo che bilancia i grovigli di corde con cui la terra ti tiene aggrappata a sé.

Sono la tua metà di luce che appare quando hai bisogno di qualcuno che ti indichi il cammino.

Sono un vecchio di due milioni di anni e un bimbo che deve ancora nascere.

Sono la voce degli dei che gli umani hanno smesso di ascoltare.

Mi chiamo Filèmone, come l'angelo di Jung e come il marito della favola di Ovidio che realizzò il tuo sogno di un amore senza limiti. Giunti al termine della vita, Filèmone e Bauci, la sua sposa, chiesero a Giove di morire come avevano vissuto: insieme. Il dio li esaudì, trasformando la loro capanna di fango in un santuario e gli anziani coniugi in due alberi posti a guardia del tempio. Accomunati dalla stessa ombra e dalla stessa luce.

Sono il tuo Custode, Gioconda. E lo rimarrò fino a quando non avrai ripreso confidenza con la tua ombra e con la tua luce.

Filèmone

III

Mi hai risposto ancora... Ma allora esisti sul serio (sempre che esistenza e serietà abbiano qualche relazione fra loro)? O abiti solo nella mia testa e l'allucinazione continua?

Non importa. Ultimamente tutta la mia vita si è trasformata in un'allucinazione e l'impossibile non mi spaventa.

Hai ragione tu: i giudizi sono relativi. Dovrei prendere la fine di questo amore e l'inizio di questo dolore come un'occasione. Ma voi angeli potete farvi forti delle teorie: noi umani invece siamo condannati alle storie.

La mia con Leonardo è cominciata cinque anni fa. Faceva ancora caldo, faceva settembre. Avevo sempre insegnato Italiano e Storia alle medie e quello era il mio primo giorno in un liceo: sono entrata in sala professori e ho incontrato lui.

Ancora prima dei miei studenti, ancora prima di Kiki, l'amica che desideravo da quando avevo l'età dei miei studenti, ho incontrato lui.

Sembrava un fumetto, aveva le braccia lunghe, gli occhi verdi e veloci, un ciuffo di capelli dritto sull'attenti, sopra la pelata. Si è presentato e mi ha raccontato che insegnava Latino e Greco, abbiamo riso, scemi, di quello che fa sorridere anche te (« Leonardo e Gioconda, ma pensa! ») e poi chi lo sa che cosa: ti pare che si ascolta un uomo, mentre ci si sta innamorando di lui? Dopo tre giorni mi ha invitata a cena a casa sua. E? Dalla mattina dopo siamo andati a scuola insieme.

Ti rendi conto? Io che fino a quel giorno, per trentadue anni, avevo limitato la mia vita sentimentale a desiderare chi mi ignorava e a temere chi mi desiderava, mi sono ritrovata a dividere il letto, il bagno. La vita.

Improvvisamente mia madre che urlava, mio padre che spariva, mio padre che stava zitto, mia madre che spariva, i fidanzati di lei, il disordine di lui, non c'erano più.

C'era solo Leonardo. Addosso, dentro. Dappertutto.

Forse non dovrei dirlo a te, angelo con la minuscola, ma non immaginare che ne avessi incontrati pochi di uomini, prima. Tanto, se davvero mi hai spiato, già lo sai. Un giorno Kiki mi ha costretta a contarli: la storia fra me e Leonardo veniva dopo una serie di esperienze, o, per meglio dire, di mancate esperienze...

Hai presente l'incubo della festa a cui non si presentava nessuno? Dai quattordici anni in poi ho provato a riempire quel senso di vuoto e di sconforto in un modo solo: innamorandomi. Anche (forse soprattutto) se non ne valeva la pena. L'importante era sentire qualcosa di nuovo e forte fra la pancia e il cuore. L'unico rimedio all'esistenza era smarrirmi in quello che a me sembrava l'amore.

Quando perdevo la testa per un ragazzo, la vita mi diventava sopportabile. Ma poi cominciavo a conoscerlo davvero. E, se gli interessavo, dopo una decina di giorni mi sembravano già del tutto insopportabili: lui e la vita.

La maglietta con la frase di Re Artù... Che vergogna. Me l'aveva regalata un certo Davide Ferretti, conosciuto d'estate in campeggio. Avevamo passato due settimane belle, piene di tutto. Tornati dalle vacanze, lui a Firenze e io a Roma, ci scrivevamo lettere lunghissime, anche quelle piene di tutto. Poi, una domenica, ha preso il treno e mi è venuto a trovare.

Appena l'ho visto scendere e camminare lungo il binario, non so che cosa mi sia preso: una specie di allergia per la faccia che aveva, per il modo di muoversi, di tenere lo zaino sulle spalle. Prima che potesse vedermi anche lui, sono scappata. Non ho più risposto alle sue lettere, mai più. E cose del genere mi sono successe per quasi vent'anni.

Con Leonardo, invece, dopo un mese continuavano a sembrare fatti per me, lui e la vita. E così ci siamo sposati. Nel giro di pochi, pochissimi anni, però, qualcosa è cambiato. Come e quando non lo so. Ma somigliavamo sempre meno a quella Giò e a quel Leonardo con l'aria di un fumetto che si erano incontrati in sala professori.

Dove vanno a finire le versioni innamorate di noi, Filèmone? Dov'è andata a finire la Giò di quel settembre?

La Giò degli ultimi mesi con Leonardo non le somigliava per niente: era sempre di corsa, sempre da nessuna parte. Distratta, anche se da niente, irritata da tutto.

E lui? Oggi mi ha incrociato davanti alla I B e mi ha detto: «Quando hai intenzione di venire a prenderti gli scatoloni con i tuoi libri?» Mentre tre anni fa, se mi incrociava, mi soffiava in un orecchio: «Amore mio, tu sei l'amore mio».

Ti pare possibile che due persone che s'addormentavano allacciate, e allacciate si risvegliavano, si ritrovino a parlare solo di scatoloni?

Giò

P.S. Che poi, come mi devo comportare secondo te, con 'sti scatoloni? Devo andarli a riprendere o lasciarli lì? Che ci faccio con i miei libri, se non c'è Leonardo che si addormenta vicino a me e russa prima piano e poi forte, mentre leggo? Ma che ci fa lui, con i miei libri, se ormai ha deciso e se ne sta, per sempre lontanissimo, in quel lì che un tempo era il nostro qui?

Quante domande, Giò. Ci toccherà ripartire dagli esordi. Da quella ragazzina selvatica che trattava l'amore come una pietanza per masochisti e andava in cerca del cibo che non sarebbe mai stata in grado di digerire.

Eri attratta dagli ambigui e dai disperati: ti illudevi di poterli salvare dalla perdizione. Accecata dal tuo egoismo audace, non capivi le sfumature più vigliacche del loro. Erano uno schermo bianco su cui proiettavi le tue aspirazioni, attribuendo a quegli amanti incapaci d'amare le virtù che avresti voluto vedere in un maschio. Ma ben presto lo schermo si trasformava in uno specchio che rifletteva il vuoto.

Io ti sussurravo: smetti di chiedere agli altri l'amore che non riesci a darti da sola, altrimenti continuerai a incontrare soltanto persone che non te ne sapranno dare. Ma tu eri troppo immersa nella prosa del mondo per ascoltarmi e mi costringevi ad assistere alle pantomime con cui mortificavi il tuo cuore.

Tormentavi il favorito di turno con domande isteriche: « Ti piaccio? » « Ti piaccio davvero? » « Che cosa esattamente ti piace di me? » Nei loro pensieri leggevo la voglia di amarti e poi fuggire. Ma fuggivi sempre prima tu. Nell'aprire la scatola delle emozioni risvegliavi una Giò infantile che si smarriva in discorsi senza sbocchi. Allora riprendevi la tua maschera di dea della guerra e andavi a rintanarti nell'oscurità, dove le orme dell'amore non lasciavano tracce.

Poi è arrivato Leonardo. Con lui hai smesso di affastellare le domande perché in lui ti sei illusa di avere trovato le risposte.

Non metto in dubbio la buona fede che vi animava agli inizi. Vi siete sposati di corsa, ma con il cuore allineato alla testa. Sicuri di ciò che provavate l'uno per l'altra. Però la velocità è spesso legata alla fuga. Da che cosa stavate scappando, Gioconda?

Chi scappa desidera la libertà. E, se si sposa di corsa, è per sbarazzarsi di qualcosa: il pieno di una famiglia opprimente, il vuoto di una famiglia assente. Non conosco a fondo quella di Leonardo, ma abbastanza la tua per immaginare che la mia Giò abbia cercato nel matrimonio la sicurezza che aveva inseguito invano tra le pareti di casa e in una lunga scia di emozioni ingannevoli.

I tuoi nonni sono stati una coppia longeva perché non hanno costruito una gabbia, ma una cattedrale. Chissà quante volte saranno stati colti dalla sensazione di avere rinunciato a qualcosa o a qualcuno. Ma, appena l'orizzonte diventava oscuro, alzavano lo sguardo e intorno ai loro dubbi si stagliavano le arcate del tempio che li teneva insieme.

Amarsi è l'opera d'arte di due architetti dilettanti di nome Io che, sbagliando e correggendosi a vicenda, imparano a realizzare un progetto che prima non esisteva.

Noi.

I tuoi occhi interiori hanno mai goduto la vista maestosa di una cattedrale? O si sono arresi in anticipo davanti a un pugno di case abbandonate, di edifici pretenziosi lasciati malinconicamente a metà? Scheletri senza carne che urlano al cielo la loro incompiutezza.

Tu e Leonardo ci avete provato, ma c'era poca

energia nei vostri Io bisognosi di riconoscimento reciproco. Le aspettative e i pregiudizi, come altrettanti
tarli, hanno corroso l'opera a mano a mano che la novità dell'innamoramento si trasformava in abitudine e
la convivenza generava incomprensioni e rancori.

Non è mai il tempo a rovinare tutto. È l'egoismo,
che riaffiora appena la chimica della passione si affie-
volisce. Così arriva un giorno in cui il dialogo degli
amanti si riduce a una questione di scatoloni.

Vai pure a riprenderli, Giò. Il tuo cuore e il tuo cervello hanno bisogno di un gesto di chiusura per potersi
di nuovo aprire al nuovo.

Filèmone

IV

Altro che angelo con la a minuscola. Sei un Angelo Sterminatore, tu.

Dovrò imparare a capire meglio quello che dici, perché nelle tue parole intravedo molti orizzonti, ma non ancora una via d'uscita.

Intanto permettimi di tornare al racconto delle miserie quotidiane. Vengo da una telefonata devastante con mia madre. Non le è bastato, evidentemente, fulminarmi l'infanzia. E non le è bastato avermi condannato alla bambina che sono stata e che continuo a trascinarmi dentro, come mi hai fatto notare tu. Ma non solo tu.

«Cresci, Giò. O comunque smettila di fare scontare agli altri il fatto di non riuscirci.»

Così finiva la mail con cui Leonardo mi ha lasciata. Con una mail, già. In cui mi dava due settimane, il tempo delle vacanze di Natale, per uscire dalla nostra casa e dalla sua vita.

Ma mia madre figuriamoci se ne tiene conto. Si sente in diritto di telefonarmi alle undici di sera, quando la giornata sta per finire e quindi comincia a sembrarmi sopportabile, per ululare che senza Marcelo non riesce ad andare avanti. Marcelo, la guida turistica argentina che ha conosciuto l'estate scorsa durante un viaggio di gruppo in Patagonia. Non l'ha più visto da quando è tornata in Italia, ma, per una decina di sms che si sono scambiati negli ultimi mesi, lei lo considerava un fidanzato. Finché Marcelo, giustamente, ha smesso anche di risponderle. E mia madre è impazzita.

Quello che succederà nelle prossime settimane lo posso immaginare fin troppo bene. Dimagrirà, poi ingrasserà, e per dimagrire di nuovo si iscriverà a un corso di qualcosa. Al corso conoscerà qualcuno e quel qualcuno diventerà « l'uomo che dà un significato a tutto quello che le è successo finora ».

È così che ha lasciato mio padre, quando io avevo quattro anni. « Perdonami, ma ho conosciuto l'uomo che dà un significato a tutto quello che mi è successo finora » gli ha detto. Si trattava di un regista di Catanzaro deciso a rivisitare in calabrese i grandi capolavori della storia del teatro e all'epoca impegnato in *Matrimuniu tra parienti, guai e turmienti*, la sua versione dell'*Edipo Re*.

Mio padre ha reagito nell'unica maniera che gli è sempre stata possibile: con un « come vuoi » che sottintendeva « tanto l'esistenza umana non ha senso ». E tornando subito ai suoi rettili, senza nemmeno passare dal dolore.

Mai sentito parlare di ofiologia, Filèmone? Mio padre è il maggiore esperto italiano.

Così, mentre mia madre se ne stava lassù, su un qualche palco o in qualche amore (con il regista calabrese, naturalmente, è durata il tempo della tournée), e mio padre strisciava laggiù, con i suoi rettili, io facevo incubi su feste a cui non si presentava nessuno.

Solo mia nonna mi rimaneva vicino. Ce la metteva tutta, ma sapeva quello che occorre perché un matrimonio duri per sempre: fedeltà assoluta. Ed era talmente fedele a mio nonno da non tradirlo nemmeno con un'eccessiva dedizione verso la nipotina. Che nel frattempo, indisturbata, non poteva che ereditare l'ansia di fuga della madre e i rettili nel cuore del padre.

Perché io faccio proprio così. Io fuggo al buio fra i rettili.

Eppure ero certa di averli seminati, sai? I miei genitori, intendo. Lo ripetevo in continuazione a Leonardo: grazie a te ho dato scacco matto ai guasti di famiglia.

Mi illudevo. Perché è tornato tutto: l'ansia di fuga, il buio infestato di serpenti. L'incubo della festa senza invitati. E Leonardo me l'ha scritto: «Cresci». Come a dire: guarda che quei guasti sono ancora tutti lì. Sei tu, fondamentalmente, un guasto.

Dunque i genitori fanno così, Filèmone? Più siamo certi di liberarci di loro, più ci perseguitano? Ma allora che ci stiamo a fare al mondo, se non esiste possibilità di scarto?

Giò

P.S. Mia madre ha appena richiamato: pare che Marcelo, al ventiduesimo sms, le abbia finalmente risposto: « Hola! » Sono così felice, continuava a ripetere. Frase che io, quando stavo con Leonardo, non sono riuscita a pronunciare mai. Eppure lo ero, pensa. Ero felice, Angelo Sterminatore con le maiuscole.

Ti ringrazio per la promozione, anche se la minuscola dona alle mie mansioni angeliche una misura a cui non mi sento di rinunciare.

Fin da piccola eri ossessionata dai giudizi del mondo. Ne avevi bisogno per stordire di luce la stanza delle tue insicurezze. In uno dei primi temi delle medie scrivesti che la parola che meglio ti definiva era « forse » e durante il liceo riempisti pagine di diario firmandoti « Adolescente Decrepita ».

Ricordo una crisi di fame risalente a quegli anni. Intendevi punirti: non tanto per avere lasciato il ragazzo della maglietta di Re Artù, ma per non averne sofferto come avresti dovuto, in base a parametri di struggimento attinti dai romanzi, e alimentati dai sensi di colpa.

Eri in cerca di regole. Di ringhiere che ti aiutassero a superare il timore di cadere nel vuoto. Di qualcuno capace di accoglierti e considerarti per la persona che sentivi di essere, ma che non eri in grado di definire.

Tua madre si comporta meglio che può: male, probabilmente. Si atteggia a figlia per non doverti fare da madre. Ma tu sbandieri la sua inadeguatezza come un alibi per non spezzare il cordone ombelicale con lei.

A cosa serve attardarsi ancora nell'analisi del rapporto con i tuoi genitori? Avresti preferito quelli di certi tuoi allievi, che si presentano ai colloqui per spiegarti come i loro figli siano vittime di una congiura universale? O la famiglia della tua amica Kiki, che si riuniva in seduta plenaria per intentarle un processo ogni volta che archiviava una storia d'amore? O magari il tuo preside, che a scuola fa il progressista e inserisce i testi dei rapper nel programma di letteratura, ma a casa si trasforma in un reazionario e controlla le mosse di sua figlia su Facebook spacciandosi per un amico australiano?

I tuoi genitori sono necessari alla prova che devi affrontare in questa vita: uscire da loro per non diventare uguale a loro. Tu non sei venuta al mondo per scappare o per strisciare, ma per spiccare il volo.

Filèmone

P.S. Eri veramente felice con Leonardo? Oscilli tra la nostalgia per ciò che hai smarrito e l'angoscia per quanto dovrai affrontare. L'unica emozione che fatichi a riconoscere è il coraggio: forse perché è legata al presente. Ma la mia missione, Giò, consiste proprio nell'aiutarti a vivere qui e ora.

V

Lo ammetto. Da un angelo custode, in cambio del mio bisogno disperato di credere nella sua esistenza, un po' di comprensione in più me la sarei aspettata.

Fin da bambina, a chi mi chiedeva: « Cosa vuoi fare da grande? » io rispondevo: « La rivoluzione ».

A ispirarmi erano i cartoni animati ambientati nella Parigi della Rivoluzione francese che ogni pomeriggio guardavo con mia nonna. Ma c'era qualcosa di più in quella risposta: c'era la convinzione di dovere cambiare le cose che non andavano.

Ti ricordi Stefania Orsini, la mia compagna di banco delle elementari? Aveva il vizio di non prestare i suoi pennarelli a nessuno. Gli altri bambini, semplicemente, la escludevano dai giochi durante la ricreazione. Io invece le ho parlato. « Stefania, ma ti pare...? » le ho detto. E da quel giorno non mi ha più neanche salutato.

Ma ti pare? A me viene proprio spontaneo chiederlo, in certi casi. Ma ti pare, Leonardo, che tua madre abbia le nostre chiavi di casa e possa entrare quando vuole, magari mentre stiamo facendo il bagno insieme? Ma ti pare che è una settimana che non ci chiediamo davvero « come stai »? Ma ti pare che sono due mesi che non facciamo l'amore?

Era il mio modo per combattere il disincanto. Il mio modo per fare la rivoluzione. Ecco perché ora mi sento una vittima, ma non dei miei genitori o di mio marito. Di quella stessa rivoluzione scatenata da me.

Avrei dovuto respirare. Lasciare correre. « Il dono più grande che potresti fare agli altri è comprendere chi sono, anziché volerli cambiare, assediando le loro sicurezze per trasformarli a tua immagine e somiglianza »: è un'altra delle cose che ha scritto Leonardo in quella maledetta mail.

Dimmelo tu dove sta il confine, Filèmone. Dov'è che le rivoluzioni smettono di essere un atto d'amore e diventano un attentato all'identità degli altri. Io mica l'ho capito. Le mie sicurezze non si sono sentite per niente assediate dalla tua ultima lettera. Perché non ne ho più? Forse.

Comunque mi sarebbe piaciuto che Leonardo, almeno una volta, mi avesse parlato come mi hai parlato tu. Che mi avesse detto: quest'aspetto di te secondo me non va, quest'altro neanche. Anziché scrivere tutto in quella mail definitiva. Per poi prendere e andarsene.

Giò

Lungi da me l'intenzione di trasformarmi nella brutta copia di un uomo che ti ha lasciato con una lettera scritta al computer. Però su un punto mi trovo costretto a dargli ragione: i tuoi sfoghi muovono dalla presunzione che gli altri non siano mai come dovrebbero essere, o meglio come tu vorresti che fossero.

Leonardo chiedeva di essere preso in blocco, con i suoi silenzi e le sue fobie, la tendenza a chiudersi in gabinetto di notte e lo strazio di una madre che aveva pensato di mitigare il problema regalandogli un copriasse imbottito in finto marmo che gli permettesse di stare più comodo.

Invece tu cercavi di convincerlo che il Leonardo giusto era un altro. E che, ostinandosi lui a essere quello sbagliato, non bisognava cambiare il tuo pregiudizio, ma la realtà.

Intravedo un lampo febbrile nei tuoi occhi: ebbene, angelo con la minuscola, non è forse questo il compito di ogni rivoluzionario? Cambiare la realtà. Anziché rassegnarsi, come fa chi rinuncia a vivere, pur di vivere in pace. Cambiare la realtà, a costo di travolgere tutti i copriasse in finto marmo che si interpongono tra l'utopia e la sua realizzazione.

Ti sbagli, Giò. Da questa parte del velo ho compreso che il valore della vita risiede nello sforzo di equilibrio che compiamo ogni giorno per dare un senso a tutto.

Non è facile accettare che quanto ci accade abbia sempre un significato, anche quando non riusciamo a scorgerne alcuno. E che le sconfitte dipendano da noi, mentre sarebbe più comodo darne la colpa ai maneggi del prossimo e del destino.

Invece è così: tutto giusto e perfetto. Anche Stefania Orsini, la tirchia dei pennarelli. Anche tua madre, tua suocera, persino Leonardo: giusto e perfetto. L'Universo ha un senso che spesso non è comprensibile dai tuoi sensi.

Il vero rivoluzionario parte dall'accettazione della realtà per cambiarla con l'esempio. Non lancia addosso alla compagna di banco il suo scandalizzato « Ma ti pare...? » Apre il proprio astuccio di pennarelli e gliene presta uno. Per essere credibile mentre lo fa, deve però sapere che l'altra non lo farebbe mai e rinunciare a rinfacciarglielo.

Vedi, Giò: svolazzare intorno ai tuoi cambi di umore mi farebbe venire il mal di testa, se solo possedessi ancora una testa. Eppure non invidio gli angeli che custodiscono anime più lineari e quadrate della tua. Ho imparato ad accettarti, pur continuando a non rassegnarmi.

Quando imparerai anche tu a non confondere l'accettazione con la rassegnazione?

Filèmone

VI

Se ho capito bene, secondo te non può esserci nessuna rivoluzione se prima non c'è accettazione...

Strano. Strano e complicato per chi, come me, sente.

Tu sai che cosa significa sentire? Avere tantissimo caldo e tantissimo freddo. Tantissima paura. Tantissima voglia. Fretta: di scappare, tornare, andare, andare, andare...

Non crederti particolarmente originale, dal tuo Chissà Dove, quando mi rinfacci l'esistenza di altri angeli che custodiscono « anime più lineari e quadrate » della mia. Leonardo, sempre in quella sua mail, l'ha scritto senza tanti giri di parole: « Certamente allo zoo gli animali esotici come te incantano, ma forse a casa è meglio portarsi un gattino ».

E allora forza, su: tenetevi le vostre anime lineari e i vostri gattini. Capaci di accettare, nel senso che date voi al termine, mentre io accetto, nel senso che mi viene da spaccare tutto. Basti pensare a come, quando le cose fra me e Leonardo cominciavano ad andare male, io... Ma no. Di questo, con te non ho intenzione di parlare.

Io sento, ecco. Ho quest'orchestra pazza e sto-
nata nella testa con cui mi sveglio ogni mattina,
questo buco nel cuore per cui tutto mi attraversa
fino a investire respiro e ragione.

Ti assicuro che non avrei voluto essere così.
Quelle come Stefania Orsini accettavano, quiete,
le punizioni sadiche che ci infliggeva suor Novella
se non avevamo legato il fiocco del grembiule come si deve (e a me capitava sempre, quando era
mia madre a occuparsene) o se non finivamo per
intero il piatto di colla che al refettorio spacciava-
no per gnocchi. Non che io mi tirassi indietro:
scrivevo mille volte sul quadernino « Sono una
bambina cattiva e sciatta » oppure « Gli gnocchi
sono un dono di Dio e devo onorarli ». Ma, appunto: sentivo.

Sentivo che la rabbia di suor Novella era un
problema suo, che dietro a quella suora inerme
si nascondeva una donna tremenda, lei sì davvero
cattiva. Ed era un disastro, angelo con la minuscola. Sentire tutte quelle cose, percepire che il
velo di zucchero sparso sulla realtà nascondeva
ben altri significati, ma non avere l'età per capirli
fino in fondo. Mi arrivava tutto addosso senza che
avessi nemmeno la possibilità di difendermi con
una spiegazione. C'erano giorni in cui mi sembrava di soffrire per il dolore di tutti. Mi convincevo
che ogni animale seviziato, ogni bambino deriso,
ogni foresta abbattuta fossero una ferita all'anima

del mondo di cui io dovevo considerarmi responsabile.

Non mi voglio giustificare, ma almeno tu, che sei un angelo, gradirei che lo comprendessi. Il problema di nascere e crescere con questa maledizione di sentire tutto, troppo. E rischiare, proprio per questo, di perdersi. Di accettare la realtà roteando un'ascia fra le mani, colpendo a caso. Fino a rimanere sola. E non capirci, di nuovo, più niente.

Giò

So bene come ci si sente a sentire la vita. Però conosco altrettanto bene lo sgomento che ti spinge a compiere qualsiasi azzardo pur di non sentirla più.

Suor Novella era scappata sotto una tonaca per non affrontare il mondo. La sua era stata una scelta di paura. E le scelte di paura sono sbagliate persino quando si affacciano alla mente con il volto del buon senso.

Tu avvertivi il disagio di quella donna e glielo restituivi appesantito dal carico delle tue angosce. Avrei dovuto schermarti, offuscando la tua sensibilità come si disturba un segnale radio troppo potente? Se lo avessi fatto, sarei venuto meno al mio ruolo.

Immagina di avere un'antenna invisibile che ti connette con tutto l'amore e il dolore dell'Universo. L'antenna è una sola e capta entrambi i segnali. Puoi decidere di staccarla, ma allora non sentirai più nulla: né sofferenza né gioia. Oppure puoi tenerla accesa. È questa la scelta di coraggio che ogni essere umano è chiamato a compiere nel corso della vita: aprirsi all'amore, a costo di provare il dolore.

Tu hai preso la decisione giusta, ma ogni tanto la rinneghi e ti assenti da te stessa per rifugiarti nel bosco delle tue insicurezze, dove non è mai facile ritrovare la strada di casa. Cercheremo di fare uscire le tue orme da quel bosco, imboccando una nuova direzione. Senza per questo rinunciare alla tua sensibilità. Alla tua antenna.

Filèmone

P.S. Noi Custodi siamo i vostri antennisti di fiducia: aggiustiamo i cavi e le parabole guaste. Le tariamo di continuo, affinché il segnale vi arrivi nitido nonostante i fulmini e gli uragani della vita.

VII

Caro antennista di fiducia,

Leonardo mi ha chiesto di sposarlo il 29 febbraio di cinque anni fa.

Adesso è quasi mezzanotte e fra pochissimo questo ventotto febbraio scivolerà nel primo marzo che lo sta aspettando. Chissà dove va a finire, il ventinove, quando non tocca a lui.

Chissà dove vanno a finire, gli amori, quando non tocca più a loro.

Giò

Chiudi gli occhi come facevi da piccola, spingendo le palpebre in basso con le mani, e ascoltami bene.

Gli amori non finiscono col tempo. Cambiano forma, scavando nuove profondità. E se ci lasciano non è perché sono durati troppo, ma perché a un certo punto hanno incontrato il vuoto.

F

VIII

Caro angelo,

Kiki stasera è qui, e a me sembra già un po' più mia questa casa che mia dovrei cominciare a considerare. Mentre ti scrivo dalla camera da letto dei miei nonni, lei è di là in salotto a guardare la televisione con il suo Newland Archer.

Kiki insegna Inglese e l'ha sempre chiamato così: come il protagonista de *L'età dell'innocenza*, incastrato in un matrimonio senza passione che non gli permette di vivere l'amore per la contessa Olenska.

La differenza sostanziale fra la vita e il romanzo è che la Olenska rivela il coraggio e l'incoscienza delle donne libere e sole, mentre Kiki è sposata da quindici anni con Riccardo e ha due bambini che sembrano averle rubato la faccia.

Lei e Newland si sono conosciuti un anno prima che Kiki rimanesse incinta per la seconda volta. Anche lui è sposato, e proprio con una donna per cui « l'innocenza ha a che fare con un vuoto di fantasia nella testa e un vuoto d'esperienza nel cuore ».

Che scrittrice potente, Edith Wharton. Che

scrittore mediocre, a volte, il destino. Perché nella rinuncia dei due personaggi si avverte un respiro tragico. Specie nelle ultime pagine, lui ti strappa a morsi il cuore dalla rabbia: ma ti viene comunque da rispettarli, quei due. Mentre Kiki e il suo Newland io non li rispetto più.

Ti pare giusto che l'unico esempio di amore vero attorno a me sia quello fra due persone che devono usare il televisore dei miei nonni (che dovrei cominciare a considerare mio) per provare, almeno una sera a settimana, l'ebbrezza di una quotidianità a cui non hanno il coraggio di sottoporsi?

Ti pare giusto che da sette anni s'incontrino tutti i giovedì a Firenze, dove Newland insegna Diritto all'università e dove Kiki racconta al marito di seguire un corso di cucina? Ti pare giusto che il marito di Kiki non le abbia mai chiesto se non ne esista uno anche a Roma? E che la moglie di Newland non gli abbia mai proposto di accompagnarlo per farsi un giro agli Uffizi insieme?

Kiki si ostina a ripetere che, se Newland lasciasse la moglie, lei lascerebbe il marito. Ma Newland temo sostenga lo stesso: che se Kiki lasciasse il marito, lui sarebbe pronto a lasciare la moglie. La verità è che nessuno dei due abbandonerà mai la sua famiglia. E sai perché mi fanno tanto imbestialire? Perché hanno ragione. Il *cric* che stanotte sentiranno dentro, quando ognuno dei due tornerà a casa propria, sarà impercettibile rispetto al *crac* che si avverte quando le bollette da pagare, l'immondizia da buttare, le cene di famiglia da sopportare salgono con le loro scarpe chiodate sulla vita di coppia e frantumano il sogno di fuga dalla realtà che l'amore promette. A pezzi, lo fanno.

« Chiedi a Newland se conosce un altro uomo sposato in crisi che magari rischia di lasciare la moglie se non trova al più presto un'amante. »

Ho pregato Kiki di farmi questa cortesia, stasera. Ma se lo trovi prima tu, Filèmone, fammelo cadere nella vita.

Sento quei due ridere, al di là della parete, forti della mascherata che a loro può sembrare la realtà, e stanotte non desidero altro: voglio un uomo sposato che la sua realtà ce l'abbia già. Un uomo che non veda l'ora di fuggire da quella realtà. Per esempio con me. Fosse anche solo un giovedì a settimana.

Giò

Durante una delle conversazioni estenuanti tra te e Kiki a proposito dei suoi amori in multiproprietà, l'ho sentita dire: « So bene che tutto questo è squallido. Allora perché non mi sembra sbagliato? »

Che sintesi mirabile della condizione umana.

Ma vogliamo dare un nome indigeno a questi innamorati del giovedì? Kiki, prima di kikizzarsi, si chiamava Federica. E il suo amante, Claudio Maria: abba-

stanza originale di suo, senza la necessità di scomodare il protagonista de L'età dell'innocenza.

Da questa parte del velo ho conosciuto lo spirito di Edith Wharton: è stata lei a parlarmi del suo romanzo. Aveva preparato un finale alternativo, nel quale Newland Archer e la contessa Olenska scappano insieme, ma un assaggio di vita in comune è sufficiente a convincerli della loro non condivisibile diversità. Così decidono di separarsi per potere continuare a rimpiangersi.

I tuoi ospiti devono avere letto quella versione e hanno preferito non sottoporre il loro rapporto all'esame della convivenza. Si sono costruiti un harem psicologico da cui attingono in base alle necessità. Con i coniugi legittimi coltivano le gioie della famiglia. Con gli amanti clandestini i piaceri della passione.

Sono riusciti a rendere istituzionale persino la trasgressione. Il loro è un rapporto stabile, né più né meno di quello da cui scappano ogni giovedì, ma sottratto alla legge del tempo che fa deperire le emozioni. Il frutto di un compromesso perfezionato a colpi di accumulazioni che la tua amica ti ha riassunto tante volte: « Non posso rinunciare alla mia vita per lui, ma non riesco a rinunciare alla mia vita con lui ».

Non li giudico, Giò. Ma è la loro esperienza, non la tua. Perché desideri qualcosa di così distante dai tuoi cromosomi? Anche nei momenti di massima irrequietezza hai sempre manifestato una tendenza spiccata alla monogamia. Sei talmente poco predisposta alla

giostra delle doppie vite che, appena hai provato a sa-
lirci, sei precipitata nel burrone della solitudine da cui
stai ancora cercando di risollevarti. O sbaglio?

Filèmone

IX

Non so davvero a quale giostra tu alluda, Filèmone.

So invece che Leonardo, quando gli ho implorato un po' di comprensione per quello che era successo, si è chiuso a chiave in bagno ed è uscito la mattina dopo. Poi è rimasto in silenzio tre giorni. E mi ha mandato quella mail. Infine se ne è andato per darmi il tempo di trasferirmi qui.

Ci ho provato anche oggi, sai? Al solito, l'ho incrociato fra la seconda e la terza ora, sulla porta della I B.

« Ho almeno ottocentoquattro cose da dirti. » Io.

« Ci siamo già detti tutto, mi pare. » Lui (guardandosi le scarpe da ginnastica).

« Non è vero: tu non mi hai mai permesso di spiegarmi, di spiegarti. » Io (cercandogli gli occhi con gli occhi).

« Le tue spiegazioni servono solo a dare un alibi a quello che hai fatto. Dunque servono a te. A me non interessano. » Lui (ostinandosi a guardare le scarpe). « E adesso scusami, ma ho un compito in classe. »

È entrato nella I B.

Sono uscita dalla I B.

Allora, Filèmone? Non siamo forse tutti forti dei nostri giudizi? Lo è Leonardo, che preferisce considerarmi indegna di continuare a essere sua moglie, anziché ascoltarmi. Lo sono io, che per questo lo detesto e mi auguro di trovare un uomo alla Newland, fuori dall'inferno delle responsabilità reciproche. Lo sei tu, che di Kiki e Newland non sopporti nemmeno i nomi.

Sì: lo sei anche tu. Ammettilo. Non è umanamente (e nemmeno angelicamente) possibile rinunciare ai nostri giudizi. Con che cosa potremmo mai sostituirli per orientarci quaggiù e nel Chissà Dove? Con le emozioni? Io ci ho provato per trentasei anni e guarda com'è finita.

Giò

Ogni tanto respira, Gioconda. Il tuo Custode è rassegnato a convivere con le parentesi tonde in cui inglobi i sussulti del pensiero (in realtà spezzettandolo, vedi?), ma prova compassione per gli altri interlocutori, costretti a smarrirsi nei tuoi continui labirinti mentali.

Ti rivelerò un segreto: la vita, per chiunque abbia l'ardire di credere in lei, è un ingegnoso gioco di specchi. La realtà esterna riflette il nostro stato d'animo e quella interna lo stato d'animo di chi ci circonda. Se vieni scombussolata dai giudizi di una persona, significa che ti stai specchiando in una parte di te che non sei ancora riuscita a risolvere. A chi non ha problemi con il giudizio, i giudizi degli altri scivolano addosso. Li ascolta, ma non se ne lascia condizionare.

Leonardo si considera vittima di una tua azione (che fingo di non conoscere) e tu del suo sentirsi vittima. Capisci fino a che punto riuscite a farvi del male? Orgoglio ferito, senso di colpa, desiderio di vendetta per ristabilire l'equilibrio violato: sono le malattie che indeboliscono l'animo umano, rendendolo suddito delle pulsioni più basse.

Imparando a osservare le persone e le cose senza giudicarle, comprenderai che la realtà è sempre giusta e perfetta perché tra i suoi innumerevoli sentieri si trova quello che potrebbe farti uscire dal labirinto in cui ti dibatti. Affronta la vita, invece di cercare scampo in un altrove ingannevole. È quell'altrove il tuo inferno, non il luogo da cui cerchi continuamente di scappare.

Filèmone

X

7 *marzo*

Credi che non lo sappia, Filèmone, che quello che mi sono lasciata alle spalle era il paradiso? È esattamente questa la mia ossessione: avere avuto tutto. Non essermene accorta. Averlo distrutto. E ora rimpiangerlo.

Ho sbagliato, me ne rendo conto anche da sola. Ma, ripeto, non ho alcuna intenzione di parlarne. Tantomeno con te.

Giò

Non hai sbagliato. Sei andata avanti. A modo tuo, ma avanti. E non sarà certo tornando indietro che riavrai quanto hai perduto.

Dovrai arrivarci da qualche altra parte.

F

15 marzo

Filèmone!

Leonardo ha un'altra.

O meglio. « È una cosa così, senza importanza, giusto per distrarsi dal dolore della separazione » ha confidato il Panacci, il professore di Matematica, a Kiki. Che lo sa da due settimane. « Ma volevo aspettare il momento giusto per dirtelo. »

« E perché ora sarebbe il momento giusto, Kiki? »

« Perché lei ieri si è trasferita da lui e ti potrebbe capitare di incrociarla, fra uno scatolone e l'altro. »

« Da lui? Cioè da noi, si è trasferita? Fammi capire: Leonardo ha cominciato a uscire con una persona, ma 'è una cosa così, senza importanza, giusto per distrarsi dal dolore della separazione' e con questa persona, anzi, con questa 'cosa così' ci convive? »

« Lo sai com'è fatto Leonardo. »

« No, non lo so. O comunque non lo so più. Com'è fatto, Kiki? »

« È ancora molto arrabbiato con te. Molto ferito. »

« E quindi? »

« E quindi, a modo suo, reagisce. »

« Sostituendomi con la prima che incontra. »

« Giò, ma dai! Ti pare che possa sostituire quello che siete stati da un giorno all'altro? Sta solo cercando di sopravvivere, come forse dovresti provare a fare anche tu... »

« Il nome. »

« Che? »

« Voglio sapere il nome. »

« Di chi? »

« Della cosa così. »

« Non lo so. »

« Figurati se il Panacci non te l'ha detto. »

« Non me l'ha detto. Mi ha detto solo che è francese. E che è qui in Italia per un dottorato in Storia dell'arte. »

« Un dottorato? Quanti anni ha, la Cosa Così? »

« Ventotto. »

« Ven-tot-to? »

« E va bene. Ventisei. »

« Ven-ti-sei? Leonardo convive con una ragazza che non solo ha quattordici anni meno di lui, ma ne ha undici meno di me e sei meno della me che ero quando ho conosciuto lui? »

« E questo cosa c'entra? »

« Niente. Tutto. Forse qualcosa. »

« Giò, ma... »

« È una Cosa Così, lo so. »

« Si è trasferita da lui solo perché il padrone

della casa dove viveva ha alzato l'affitto. È una so-
luzione temporanea, sta già cercando un altro posto. »

« Te l'ha detto il Panacci? »

« Sì. »

« Giura. »

« Giuro. »

« Su Newland. »

« Giuro su Newland. »

« ... »

« ... »

« Perché, Kiki? »

« Perché cosa? »

« Perché, anche se è una Cosa Così, fa tanto
male? »

« Giò, ma lui non smette di essere tuo, mentre
dorme e mangia con lei. Io me lo ripeto ogni giorno: Newland non smette di essere mio, quando fa
il marito di sua moglie. E ti assicuro che io non
smetto di essere sua, quando sono la moglie di
mio marito. »

« Troppo complicato. Leonardo è più onesto di
noi. Non vive di accomodamenti. È più coerente.
Meno vittima di se stesso. »

« E chi l'ha detto? »

Lo diceva sempre lui, Filèmone. E io gli crede-
vo. Era roccia ferma, dove io diventavo mare cat-
tivo. Ma sono passati solo tre mesi da quando mi
ha lasciata e già sta facendo da roccia ferma a
un'altra. Una Cosa Così, certo. Che però ogni not-

te s'addormenterà e ogni mattina si sveglierà nel nostro letto. Al mio posto. Vicino a lui.

Giò

Le persone abbandonate meritano sempre un posto d'onore al tavolo della mia compassione. Specie quando, ma non è certamente il tuo caso, hanno sacrificato le stagioni calde della vita nella costruzione di un progetto comune e si ritrovano ad aspettare l'inverno in compagnia di una solitudine avvelenata dalla frustrazione e dal rancore.

Dunque non interpretare quanto sto per dirti come una difesa di Leonardo in nome di un'indefinita solidarietà maschile. (Lo confesso: nella mia ultima vita terrena sono stato un maschio.) Vorrei soltanto che imparassi a osservare la situazione anche da un altro punto di vista.

La tua sensibilità esasperata immagina Leonardo intento a godersi la giovane preda francese e disposto a concederle ciò che negava a te: per esempio una carezza sul divano del salotto non interrotta dalla ricerca compulsiva del telecomando.

Prova invece a prendere in considerazione una trama diversa. Prova a pensare che Leonardo sia uscito dal vostro matrimonio con la stessa energia di uno di quegli apparecchietti elettronici che maltratti tutto il giorno senza mai ricordarti di metterli in carica: iPhone, iPad, iPod... La fantasia di voi umani: il prossimo lo chiamerete iPud?

Dopo una convalescenza emotiva ancora troppo breve, tuo marito o quel che ne resta si è riaffacciato al palcoscenico dei sentimenti con il desiderio inconscio di interpretare il ruolo meno dispendioso. Cosa Così sarà entrata nella sua vita senza troppa resistenza, come si espugna un fortino abbandonato.

Leonardo non può essersi innamorato di lei, se è questo che ti preoccupa. Un nuovo innamoramento è preceduto da una fase di malinconia che serve a ricaricare la batteria. Ma la luce del suo iPud non è ancora passata dal rosso al verde: ogni tanto lancia barbagli giallini che Cosa Così interpreterà come segnali di passione.

Si illude. O si accontenta. Gli ha persino occupato casa, nella speranza che una presenza più assidua riesca a modificare la situazione. E puoi stare certa che la modificherà: in peggio.

L'angelo di quella ragazza avrà il suo daffare nei prossimi mesi. Ed è giusto, se permetti, che lavorino un po' anche gli altri. Io non posso lasciarti un attimo in compagnia dei tuoi pensieri e subito li trasformi in una matassa che poi tocca sempre a qualcuno di mia conoscenza dipanare.

Ascoltati meglio, Giò: la distanza e la gelosia deformano la percezione dei sentimenti. Ti manca l'iPud Leonardo o la sensazione di possederlo in esclusiva? Ti sei già dimenticata che quando era tuo lo sbatacchiavi contro tutti gli spigoli e spesso non ricordavi nemmeno dove lo avevi lasciato?

Filèmone

XII

Scusa, non sono dell'umore di leggere la risposta che ho trovato stamattina nel cassetto. Ci ho provato, ma mi sono fermata all'iPud. Perché tu trovi un senso a tutto, ma io a Cosa Così non lo posso trovare.

« Ci sono cose troppo brutte per entrarci dentro tutte insieme » si giustificava mia nonna, quando mio nonno è morto e lei insisteva nel fare programmi come se fosse ancora vivo, e tutti ci preoccupavamo per la sua salute mentale. « Datemi tempo » sospirava. Sei mesi non le sono bastati per smettere di sentire la sua mancanza, fosse solo per un istante al giorno. Incapace com'era di stare ferma, ha preferito raggiungerlo.

Ci sono Cose Così: troppo brutte, Filèmone.
Dammi tempo.

Giò

Prenditi tutto il tempo, ma non lasciare che il tempo si prenda tutto.

F

XIII

Caro Filèmone,
   è primavera. Ma io no.

   Giò

XIV

L'ho fatto. Ho inchiodato il Panacci al muro delle sue responsabilità (cioè alla macchinetta del caffè in sala professori) e gli ho chiesto: « È bilingue? Spiritosa? Ha i capelli lisci, a caschetto, porta gli stivali bassi perché ha le gambe lunghe, ascolta il jazz, sa pattinare, prepara omelette a colazione, adora Camus? Soprattutto, è più bella di me? Nel senso di speciale, intendo. Ma anche nel senso di bella e basta ».

« Giò, per favore » ha cominciato a balbettare.

Ho insistito: « Dimmi solo se è più bella di me e ti assicuro che non ti metterò mai più in questa situazione imbarazzante. Sei amico di Leonardo, lo capisco. Ma sei anche il nostro testimone di nozze ».

E il Panacci?

« Leonardo ha sofferto molto, dovresti saperlo » ha masticato.

« Quindi ora non soffre più. Vuoi dire questo? » Mi sono aggrappata alle sue spalle.

« Voglio dire che... »

« È più bella di me? » Ho affondato le unghie.

« Dai, Giò, ma che razza di discorsi sono? Non ti riconosco. » Ha provato a divincolarsi, poveraccio.

« È bionda? Alta? Silenziosa? » L'ho tenuto fermo contro la macchinetta del caffè.

« È bionda. Ma piccolina, più o meno come te. Piuttosto timida » ha detto, tutto d'un fiato. Mi ha preso una mano, se l'è tolta dalla spalla, poi mi ha preso l'altra, l'ha stretta forte nella sua, mi ha soffiato in un orecchio: « Fare così non serve a niente, Giò » ed è uscito dalla sala professori.

Cosa Così è bionda. Piccolina. Più o meno come me. Piuttosto timida. E adesso che lo so? Non cambia nulla, ha ragione il Panacci. Perché l'unica cosa che conta è che « Leonardo ha sofferto molto ». Ma ora, grazie a lei, sta meglio.

Altro che « non può essersene innamorato », come sostieni tu.

Giò

Mi spiace continuare a deludere il lato masochista del tuo carattere, ma Leonardo era in cerca di una storia-sofà e appena l'ha trovata ha pensato bene di appisolarvisi. A te è andata decisamente meglio: hai ritrovato me, che sto facendo di tutto per non farti appisolare di nuovo.

Filèmone

P.S. Sei proprio sicura di avermi raccontato tutto?

XV

E va bene.

L'ho tradito. E non ho nemmeno il diritto di indignarmi per l'arrivo di Cosa Così nella sua vita, nel nostro letto. Perché non solo quando Leonardo ero mio « lo sbatacchiavo contro tutti gli spigoli e spesso non ricordavo nemmeno dove lo avevo lasciato », come dici tu. Ma l'ho tradito con lo squallido padre di un mio alunno. Di un nostro alunno. Andrea Cardoni, della II B.

È successo solo una volta.

No, non è vero. Due.

Quattro.

Quattro volte: ecco. E se anche tu adesso mi abbandonerai come mi ha abbandonato Leonardo, ti assicuro che capirò.

Perché mi abbandonerei anche io, se potessi. Mi scriverei una mail definitiva come quella di Leonardo, in cui oltre al disgusto per il mio tradimento vomiterei tutto quello che di me è bacato a prescindere. E mi abbandonerei. Poi, dopo nemmeno tre mesi, mi sostituirei con una Cosa Così.

Giò

Constato che non hai perso la propensione per il melodramma. Da piccola, dopo una discussione con i tuoi a proposito dell'odiato apparecchio per i denti che eri stata così brava da dimenticare nei bagni di un ristorante, mettesti nello zaino due tavolette di cioccolato bianco e una maglietta di Renato Zero (!), quindi ti chiudesti alle spalle l'uscio di casa, decisa a non tornarvi mai più.

La fuga si fermò sul pianerottolo perché l'ascensore era guasto. Rimanesti sulle scale a meditare uscite di scena spettacolari che precipitassero i tuoi genitori in un senso di colpa perenne, fino a quando la portinaia ti ritrovò sdraiata sui gradini in un piagnucoloso dormiveglia e ti restituì agli affetti familiari (che non si erano accorti di nulla, come avresti avuto modo di rinfacciare durante i litigi successivi).

La bimba dell'apparecchio è cresciuta e adesso si martirizza pur di restare sulla superficie enfatica delle cose e non correre il rischio di penetrarle in profondità.

C'ero anch'io nello stanzone dei colloqui, mentre spiegavi al padre di Andrea Cardoni che l'attitudine di suo figlio a riempire di punti interrogativi le quattro facciate protocollo delle verifiche di Italiano non era solo la spia di un temperamento artistico, ma il segno di un disagio esistenziale.

C'ero mentre lui ti guardava negli occhi (molto azzurri, ma io sono di parte) e invece di azzannarti, come fanno gli altri genitori ogni volta che hai la sfacciataggine di muovere un appunto ai loro eredi, ti scaricava addosso la sua solitudine. E c'ero mentre tu, al solito, ti lasciavi invadere dalle sue ragioni e accettavi l'invito in pizzeria da cui tutto ha avuto inizio.

C'ero in pizzeria: specialità calzone ai quattro formaggi, non l'ho mai sopportato da vivo, immagina rivedermelo nel piatto in puro spirito. E c'ero anche dopo, perché io ci sono sempre. Persino quando un retaggio di pudore mi suggerirebbe di voltarmi dall'altra parte.

Riconosco che aveva un suo fascino, con quei coccodrilli disegnati sui boxer e quei calzini bianchi. Il fascino che scaturisce dall'orrore assoluto. Nel momento culminante ha grugnito parole irriferibili da un angelo. Espletato in qualche modo l'atto eroico, se n'è uscito con una battuta da avanspettacolo - «Era dai tempi del liceo che sognavo di finire a letto con una professoressa» - e tu l'hai trovata addirittura divertente. Poi si è alzato per andare in bagno e non ha chiuso bene la porta.

La porta aperta non so, ma almeno la battuta Leonardo se la sarebbe risparmiata. E anche i calzini bianchi alla caviglia, che restano un insulto all'armonia del creato.

Cerco di sdrammatizzare l'accaduto perché vorrei farti sollevare lo sguardo dalle apparenze. La vita è un ritorno a casa e certi amori che sembrano crepacci diventano ponti per attraversare il vuoto e avvicinarsi al traguardo. Non voltarti indietro a giudicarli. Il torcicollo emotivo è la malattia dei vecchi. E vecchi si può non esserlo a novant'anni oppure diventarlo già a trentasei, se si perde la voglia di coniugare i verbi al futuro. Tutto è sempre giusto e perfetto. Anche la tua esperienza con Calzini Bianchi.

Il papà di Andrea Cardoni non è un uomo squallido. È un uomo debole ed è stata proprio la tua debolezza ad attirarlo, così come la sua ha attirato te. Il solito gioco di specchi: se vuoi una storia forte, devi prima diventarlo tu.

E quanta enfasi nel parlare di infedeltà! Mentre è solo infelicità, che come l'amore si costruisce in due.

A un certo punto tu e Leonardo avete smesso di comunicare: prima con i corpi, poi con gli sguardi, infine con le parole. Se vengono affrontati, i guasti dell'anima perdono una parte della loro voracità, che si nutre di timore e di mistero. Invece voi li avete lasciati crescere nella trascuratezza silenziosa delle vostre vite, affinché esplodessero quando ormai era troppo tardi per porvi rimedio.

Non nego che con il papà di Andrea Cardoni tu abbia compiuto un gesto impulsivo ai limiti dell'isteria. Ma nessuno viene al mondo per contemplare la propria perfezione. Ci si arriva con un obiettivo molto più serio: evolvere.

Non dare retta a chi tesse l'elogio delle vite pianeggianti. Le salite sono trampolini. E a te è sempre piaciuto tuffarti, vero?

Filèmone

XVI

16 aprile

Grazie.

    Grazie e basta.

    Giò

    P.S. Ma che cos'hai contro Renato Zero, scusa?

Niente, figurati: sono rimasto a Gershwin. Però ricordo che tu conoscevi i suoi dischi a memoria, prima che ti venissero a nausea.

    Perché persino le canzoni preferite vengono a nausea, Giò. È una regola universale. Come puoi pensare che per le storie d'amore non valga?

    Eppure alcune musiche piegano le leggi del tempo e rimangono con noi per sempre. Sono quelle che parlano il linguaggio dell'eternità. È una regola universale anche questa. E fai bene a pensare che valga anche per le storie d'amore.

    Filèmone

XVII

Buona Pasqua, Filèmone. Non chiedermi perché, ma mi è sempre sembrata una festa più sopportabile del Natale.

Mia madre ha finalmente raggiunto a Buenos Aires il suo Marcelo, la guida turistica con cui crede di essere fidanzata. Mio padre è a Bergamo, dove sta per arrivare dalla Birmania il primo esemplare di cucciolo di cobra a strisce bianche e blu del mondo, se ho capito bene. E l'ofiologia italiana fibrilla.

Kiki – tu chiamala pure Federica, tanto rimane Kiki – mi ha invitata domani alla grigliata che ogni anno il marito organizza con i vecchi compagni di liceo. Ma mi immagini, là in mezzo? Tra famiglie sconosciute e sorridenti, fosse pure soltanto per il pranzo di Pasquetta?

Da quando con Leonardo tutto è precipitato, non c'è faccia, libro o film che in un modo o nell'altro non mi ricordi quanto io sia stata egoista. Infantile, cretina, ingrata, dopata d'onnipotenza. Colpevole. Anche melodrammatica per vocazione, lo ammetto, ma comunque colpevole.

Stamattina ho finalmente cominciato ad aprire gli scatoloni e, mentre sistemavo i miei vestiti negli armadi, ho trovato un disco nascosto chissà perché fra le camicie da notte della nonna. L'ho infilato nel giradischi che lei si è sempre ostinata a conservare in salotto. La voce di Ella Fitzgerald ha riempito tutte le stanze.

Everytime we say goodbye, I die a little, everytime we say goodbye, I wonder why... Ogni volta che ci diciamo addio, io muoio un po', ogni volta che ci diciamo addio, io mi domando perché.

E ho pensato: Ella Fitzgerald mi sta facendo notare che, per colpa mia, fra me e Leonardo non ci saranno mai più *goodbye*. Perché un addio li spazza via tutti. Mai più piccole morti, quando ci si allontana, mai più risurrezioni (buona Pasqua a tutti!) quando ci si ritrova.

Probabilmente hai ragione: si viene al mondo per evolvere. Ma è così faticoso essere obbligati a frequentare noi stessi, quando siamo i primi a detestare come ci siamo comportati.

E figurati che voglia si ha di trascinare quei noi stessi a una grigliata di Pasquetta. Fra persone che, con la loro felicità, mi ricorderebbero che io ho distrutto la mia.

Giò

Ricetta angelica numero uno:
come debellare il virus dell'autocommiserazione

La paziente recuperi con una certa urgenza il senso delle proporzioni.

Rammenti che il suo fallimento coniugale va a depositarsi sopra un tappeto di consistenti sicurezze. Un mestiere molto amato, anche se poco retribuito e sempre meno considerato. Un'amica problematica, ma complice e sinceramente affezionata. Una famiglia improbabile, però ancora frequentabile in dosi omeopatiche. E degli studenti complicati, a cui da qualche mese la paziente ha smesso di dedicarsi con la devozione che ai miei occhi di angelo rappresentava il vertice più affascinante del suo carattere.

Cosa succede, Giò? Da quando siamo tornati in contatto, non mi hai ancora parlato dei loro sogni e delle loro paure, che un tempo erano la tua ragione di vita. Non mi hai parlato della distesa sconfinata di pomeriggi nei quali ti ho visto chinare la testa sui compiti da correggere e disperarti a ogni errore come una madre, senza però rinunciare a sottolinearli con un sistema di matite colorate di cui tu sola conosci il significato. E non mi hai parlato di Marika, l'orfana che conoscemmo quando ti arrabattavi come insegnante precaria nella scuola media di un quartiere popolare.

Era una delle tue allieve peggiori e abitava con la famiglia dello zio in un parallelepipedo di cemento affacciato su altri parallelepipedi. Finché un pomeriggio si presentò a casa tua per dirti che qualcuno le aveva rubato casa sua.

Una di quelle storie a cui si fatica a credere, quando compaiono sui giornali. Gli invasori venivano da un Paese lontano e, con la complicità di una banda di indigeni, erano entrati in possesso delle informazioni giuste e di una chiave che apriva tutte le porte. Avevano agito di mattina, quando Marika e i cugini erano a scuola e gli zii a inseguire mestieri volatili. Dopo essere penetrati nell'appartamento, vi si erano barricati con la sicumera di chi neppure contempla l'ipotesi che qualcuno potrà sbatterli fuori.

Mentre ascoltavi il racconto di Marika, fu un incanto vederti inarcare le sopracciglia in una maschera di indignazione, dimenticandoti per una volta di interrompere l'interlocutore con domande eccentriche e riferimenti autobiografici. E fu un onore accompagnarti in quella corsa sfrenata verso il luogo del misfatto, dove innaffiai di luce il monologo con cui convincesti i familiari della tua studentessa a inghiottire la paura e a reagire.

Riuscisti a scatenare un tale pandemonio che l'intero caseggiato si schierò con le vostre ragioni e, dopo un pomeriggio di assedio collettivo, i cattivi ebbero finalmente la peggio e accettarono di andarsene. L'avventura ti lasciò in eredità tre notti insonni: passata l'euforia della battaglia, eri stata travolta dallo sgomento perché quell'episodio ti aveva rivelato una parte sconosciuta di te.

Da allora Marika divenne tua come nessuna allieva

lo era stata mai. Continuasti a infestarle il registro di votacci, quando li meritava. Ma il suo trionfo all'esame di terza media fu il risultato inesorabile della tua semina d'amore.

Quella è la mia Giò. Una forza della natura. Non il rottame lamentoso che pigola allo specchio il rosario egoistico delle sue debolezze.

Da qui discende la

Ricetta angelica numero due:
come vaccinarsi contro l'epidemia dei sensi di colpa

Da alcuni millenni il senso di colpa viene inculcato nei servi per indurli a non mettere in discussione le regole fissate dai padroni. Gli uomini liberi ne sono consapevoli e sostituiscono il senso di colpa con il senso di responsabilità.

A cosa serve pentirsi, se non ci si perdona? E se, perdonandosi, non si agisce per rimediare ai propri errori?

A tal fine si consiglia alla paziente di assumere dosi quotidiane di leggerezza.

La leggerezza non è parente della superficialità, a differenza di quanto sostengono i superficiali che scambiano la pesantezza per profondità di pensiero. E aiuterà la paziente a cambiare il suo punto di vista sulle cose.

È importante che questa ricetta venga seguita con un certo rigore, perché, continuando ad accostarsi ai problemi nel modo sbagliato, ci si ritroverà dentro altre storie che li riproporranno.

Cara Giò, ricordi il mito della caverna di Platone che non studiasti al liceo? (Durante l'interrogazione, dovemmo ricorrere a tutto il tuo talento dialettico per contrabbandare al prof una versione accettabile.) Gli schiavi fissano le ombre proiettate sulla parete e le prendono per vere. Finché uno di loro spezza le catene, esce dalla caverna e vede la realtà. Platone aveva intuito che la riscossa di ogni uomo comincia dalla rottura di un'abitudine: dal cambiamento del punto di vista.

Se la riascolterai con questo spirito, persino la canzone di Ella Fitzgerald potrebbe sorprenderti. Dice che gli addii non esistono: che ogni morte, piccola o grande, è sempre un arrivederci.

Adesso si tratterebbe di decidere il menu emotivo di Pasquetta. Restare in casa a fare la vittima oppure sfidare l'umanità e il maltempo in nome di una grigliata di sole verdure, conoscendo la tua idiosincrasia per la carne?

Dalla voce del tuo Custode non usciranno mai ordini. Ma, se ti accontenti di un parere, penso che Pasquetta sia un ottimo giorno per spezzare le catene e uscire dalla caverna.

Filèmone

XVIII

Filèmone, incrocia le ali e, ti prego, rispondimi al volo: ho un appuntamento. Con Matteo. Fra due ore e diciotto minuti lui citofonerà.

Pensami, guardami, fai quello che fa un angelo custode quando la sua protetta comincia (anche se maldestramente, me ne rendo conto) a tirare il naso fuori dalla caverna e a ricominciarsi.

Soprattutto, dimmi. Che cosa dire e non dire. Come recuperare subito quella me che, curiosa del mondo e battagliera, difendeva la famiglia di Marika, e come lasciare a casa questa me sconfitta, narcisista e desolata. Chissà perché quando rimaniamo soli è tanto difficile intraprendere nuove avventure, mentre quando si è in coppia è così facile tradire... Perché in coppia siamo più forti, più belli e dunque più desiderabili: ecco perché.

Adesso io non so più nemmeno come si fa a uscire *davvero* con qualcuno. Ti ho detto che si chiama Matteo? Sì. L'ho conosciuto alla grigliata di Pasquetta: è un ex compagno di scuola del marito di Kiki. Abbiamo cominciato a parlare di tutto e di niente e il tempo mi è sembrato... lieve. Lieve, sì. Non mi succedeva da almeno un anno.

Non è (più) sposato. E ha la faccia di uno che nemmeno per sbaglio può avere un paio di calzini bianchi nell'armadio. Ha la testa piena di riccioli e fa l'ortopedico. O forse l'oculista? Fa lo stesso. L'importante è che tu mi aiuti a uscire *davvero* con lui. Se non sarà un nuovo amore, che sia almeno una Cosa Così. Anzi, no. Una Cosa Bella. Che sia almeno una Cosa Bella.

Giò

Due ore e diciotto minuti. Non ricordo più quanto durino (da questa parte del velo il tempo e lo spazio non esistono), però ho il vago sentore che per prepararsi a un primo appuntamento siano pochi. Pochi ma sufficienti per aprire i rubinetti della vasca e concederti un bagno caldo che ti distenda i nervi contratti.

Proviamo a imbastire un piano d'azione. Con quale stato d'animo intendi uscire stasera? Se il tuo pensiero fisso è piacergli, dubito che gli piacerai. Piuttosto dovresti preoccuparti di piacere a te stessa. Finché ti sentirai bene, farai sentire bene anche lui. E godendo entrambi della presenza dell'altro, ve ne attribuirete a vicenda il merito. « Ti amo » significa « mi amo a stare con te ». Non è egoismo. Gli egoisti non si amano affatto. Solo chi si vuole bene è capace di volerne anche al prossimo.

Quando l'acqua sarà pronta, immergiti e lasciati invadere dal suo tepore purificante, ascoltando ogni cellula del tuo corpo. Mandagli amore: è il tuo corpo, l'abito che hai deciso di indossare per questa festa a sorpresa che è la vita. Va maneggiato con cura.

A proposito di abito: appena ti deciderai a uscire dalla vasca (non vorrai farci la muffa, lì dentro) scegli il vestito e il trucco che ti fanno sentire a tuo agio, intonandoli con il tuo umore e non con quelle che pensi siano le aspettative di Matteo. Per piacergli non devi compiacerlo. Appena ti sforzi di diventare come ti vogliono gli altri, gli altri non ti vogliono più.

A un certo punto lui suonerà, ma temo dovrà aspettare, visto che tu sicuramente sarai ancora in accappatoio. Prima di uscire, trova il tempo di passare davanti allo specchio e sorriderti addosso. Poi prendi l'immagine di quel sorriso, incorniciala e appoggiala dentro di te. Così potrai richiamarla alla memoria durante la serata, tutte le volte che sarai attraversata da pensieri d'inadeguatezza.

Dimenticavo: ogni tanto ascolta anche quello che dice. Magari stasera scopriremo se è un oculista o un ortopedico. Con tutto che tu saresti assolutamente capace di chiedere a un ortopedico di ingessarti gli occhi.

Filèmone

XIX

Sono stata brava, sai? Ho fatto tutto quello che mi hai suggerito tu. E, appoggiata l'immagine di *quel* sorriso dentro di me, sono uscita.

Ma adesso è appena mezzanotte ed eccomi di nuovo a casa. Da sola. Con Matteo abbiamo passeggiato su e giù per via dei Coronari, e preso un aperitivo in una vineria aperta da poco dietro piazza Navona, dove dei suoi amici suonavano i bonghi. Poi siamo andati a casa sua e ha cucinato la migliore pasta alla Norma che io abbia mai mangiato.

È di Palermo, ma si è specializzato in nefrologia a Boston (né ortopedia né oculistica, le tue battutine puoi rimetterle a cuccia). È tornato in Italia per amore di quella che sarebbe diventata sua moglie. Si sono sposati e hanno avuto una bambina, ma già le cose fra loro cominciavano a non funzionare più. Senza rancore (sembrava davvero sincero quando l'ha detto: senza rancore), sei anni fa si sono lasciati, oggi rimangono molto solidali fra loro e lei è incinta del nuovo compagno. Lui invece ha sentito il bisogno di passare qualche anno da solo

« per non contagiare l'universo femminile con la mancata elaborazione del mio lutto »: testuale.

Intelligente, no? E profondo. Bello, con quella sua testa piena di riccioli. E con amici spiritosi, una casa con le pareti verde salvia e un boxer che si chiama Mickeyrourke, tutto attaccato. Ha anche viaggiato tanto. Perché è curioso. Attento, mai banale.

Che è bello te l'ho già detto? Sì. E che è uno di Medici Senza Frontiere? Ecco. Ama Antonioni, Tarantino, Kubrick, è drogato di *Homeland*: come me. E io gli piaccio. Tanto. L'ho capito da come mi ha baciata. È stato un bacio *personale*. Non buttato lì. Un bacio di quelli che promettono qualcosa.

Dunque? mi chiederai tu. Perché sei già tornata a casa? Quali terribili difetti ha quest'uomo per non passarci almeno una notte e non risvegliarti domani con lui che ti porta la colazione a letto (sicuramente è il tipo che lo fa)?

Ne ha uno solo, Filèmone. E l'ho capito mentre mi baciava: ma questo non è Leonardo, ho pensato. Ho aperto gli occhi e in effetti no: era Matteo. Ecco perché non sono rimasta lì. Perché Matteo non è Leonardo. E perché non mi manca solo « la sensazione di possederlo in esclusiva », come sospetti tu. Mi manca proprio lui. L'iPud Leonardo.

Giò

Avresti potuto dirglielo. A Matteo, intendo, che adesso si aggira per casa come uno sconfitto, continuando a chiedersi dove ha sbagliato. Avresti potuto dirgli che non sei ancora in condizione di iniziare una storia e che lui ti è sembrato troppo onesto per meritarsi qualcosa di meno.

A me invece avresti dovuto dire la verità sulla vostra serata. I tuoi resoconti si ostinano a ignorare che io sono il testimone oculare di tutto quello che fai, compreso quello che non fai. Tirare il fiato qualche volta, per esempio.

Le scarne informazioni che siamo riusciti a recuperare sul conto di quell'uomo provengono dal suo sforzo eroico di interrompere il tuo monologo nei rari momenti in cui era possibile: quando ti riempivi la bocca di pasta alla Norma, ovviamente senza ricordarti di masticarla. Avevi altre urgenze, come quella di raccontargli fino nei minimi ripostigli la casa dei tuoi nonni, la loro storia d'amore e naturalmente le tue, a cominciare dallo sguardo pieno di promesse che scambiasti con un piccolo teppista nel cortile dell'asilo.

Sappiamo che è la timidezza a trasformarti nella persona meno misteriosa del mondo. Ma ogni tanto mi piacerebbe che quella benedetta malattia della psiche umana agisse su di te come su tutti gli altri, provocandoti silenzi enigmatici e pudibondi rossori. Non un torrente impetuoso di chiacchiere che sgorgano dalla sorgente inesauribile delle tue insicurezze.

Il suo bacio è stato un tentativo disperato di interromperti. E lì, ammettilo, hai perso un po' la testa.

Ci sono molti modi di tirarsi indietro, ma tu ne hai scelto uno particolarmente spettacolare. Ti sei alzata di scatto dal divano come se all'improvviso ti fossi ricordata di avere lasciato una bomba a mano sullo zerbino. Hai afferrato la borsetta e sei corsa alla porta, mentre la tua faccia assumeva l'espressione enfatica che caratterizza il filone artistico della famiglia.

A tua madre hai rubato persino la voce, mentre ti scusavi con Matteo gorgheggiando in falsetto che non eri affatto la bella persona che lui si illudeva di avere incontrato.

Sarei rimasto volentieri accanto a quel ragazzo per consolarlo. Invece come sempre sono qui, anima mia. Ligio al dovere che mi impone di consolare te.

Filèmone

XX

Sì. L'idea di sbagliarmi ancora mi ha serrato il cuore, tolto la sicura alla bocca (già piuttosto difettosa di suo, lo ammetto) e messo le ali ai piedi. Contento, adesso?

Mi chiami anima mia. Be', l'anima tua ha incontrato un'anima altra con cui ha condiviso un momento di splendore. E per non sciuparlo col già visto, già vissuto e già sbagliato ha preferito andarsene. A costo di rimpiangerlo.

Che cosa potrebbe mai avere Matteo, di diverso dagli altri? Non è Leonardo, e almeno questo è appurato. Dunque la risposta è: niente. Dagli altri, di diverso, Matteo non potrebbe avere niente.

Giò

Se la metti su questo piano, il minimo che io ti possa infliggere è un trattato sulle anime gemelle in cui ti imbatterai nel corso della vita.

La prima, la più diffusa, è l'anima affine. Proviene dalla tua stessa famiglia di anime e dunque sente, soffre e gode come te. Ti trasmette una sensazione rassi-

curante di appartenenza. Ma una storia d'amore tra
voi si rivelerebbe un deserto di passione.

Ricordi quel Filippo patito di Proust e parapendio
che ti corteggiava all'università? Stavate sempre insieme e tutti dicevano che eravate fatti l'uno per l'altra. Ma non andaste mai oltre un bacio svogliato. La
natura non prevede che i simili si attraggano. E per
una ragione semplicissima che non mi stanco di ripeterti: le anime si incarnano per crescere, non per com-
piacersi del livello raggiunto. Disdegnano le situazioni
comode e hanno bisogno di sfide.

La voglia di restare al caldo può indurre due affini a
rimanere insieme per qualche tempo. Ma, dopo essersi
ritemprate a vicenda, sentiranno l'impulso irresistibile
di staccarsi. L'amore è una tensione di energie contra-
stanti ed è questo che lo distingue dall'amicizia.

Esistono poi le anime complementari. A differenza
delle affini, non provengono dallo stesso ceppo. Non
hanno in comune il carattere e nemmeno i gusti. Però
condividono i valori profondi che consentono a una storia di durare. Sono le coppie meglio assortite. Quelle
che edificano famiglie, accudiscono figli, realizzano
progetti. Pensa ai tuoi nonni: trovarono un equilibrio
capace di sfidare il tempo. Le anime complementari
si staccano solo quando il cambiamento dell'una non
viene bilanciato da un armonico cambiamento dell'altra. Ma nonna Gioconda e nonno Antonino furono sempre molto attenti a cambiare nella stessa direzione.

Infine, le prescelte. Sono anime che hanno stretto
un patto antichissimo tra loro. Poniamo che una abbia

deciso di incarnarsi per conoscere l'esperienza del perdono. La sua prescelta prenderà l'impegno solenne di vessarla, così da metterla in condizione di perdonare. E viceversa, dal momento che nulla nell'Universo avviene mai in un senso solo.

Una situazione folle, se osservata con occhi umani. Ma, quando accetti l'idea che ogni anima si materializza in un corpo per evolvere, comprendi come le regole del gioco obbediscano a criteri non classificabili con le categorie terrene di giusto e sbagliato.

Accanto all'anima prescelta ci si sente a disagio, addirittura in soggezione. Sono storie dolorose, che quasi sempre finiscono male, anche se sarebbe più corretto dire che non finiscono mai. Due anime che si sono scelte prima di venire al mondo generano il massimo dell'energia possibile. Positiva o negativa, comunque talmente forte che cavalcarla è un'impresa. Resiste solo chi riesce a non identificarsi nel dolore che l'altra le provoca.

Fine della lezione, prof. Ti chiedo scusa se sono stato costretto a usare espressioni astratte: per comprendere i concetti, l'emisfero razionale del tuo cervello ha bisogno di parole. Però possiedi anche un emisfero intuitivo, che sto cercando di risvegliare. È lui il depositario dell'antichissima saggezza immagazzinata in ogni essere umano e toccherà al suo linguaggio muto rivelarti il volto della tua anima prescelta, così come a me seppe rivelare quello della mia.

Filèmone

XXI

10 maggio

Caro Filèmone,

ti scrivo mentre trentasette palloncini blu galleggiano per la stanza. Sono un regalo di Matteo.

Ero certa che non mi avrebbe più cercata e non avrei potuto dargli torto. Ma quella sera, fra le tante cose che ci siamo detti, gli ho raccontato dell'incubo che facevo da bambina: la festa di compleanno a cui non si presentava nessuno. Lui (anima evidentemente complementare alla mia...) non solo si è ricordato che oggi compio gli anni, si è ricordato anche dell'incubo.

Così ecco i palloncini e il biglietto: «Buon compleanno da chi non è invitato a una festa a cui vorrebbe tanto partecipare. Che siano splendidi e blu, questi tuoi trentasette».

E io? Sai che cosa ho fatto, io? Ho strappato il biglietto. Perché, mentre lo aprivo, speravo con tutta me stessa che l'avesse scritto qualcun altro.

Anche stamattina a scuola. I ragazzi di I e II B si erano riuniti in un'aula. Sono entrata, ho trovato la luce spenta, le serrande abbassate, e: «Sorpresa!» hanno urlato. Appena si è accesa la luce, ho cercato una sola persona con lo sguardo. C'erano

Kiki, il Panacci, tutti gli altri professori. C'era una millefoglie, la mia torta preferita, con sette candeline sopra. Ma Leonardo no. Non c'era.

La mia anima prescelta non mi ama più. E scoprirlo il giorno del mio compleanno è tutto il contrario di una festa a sorpresa, mettiamola così. È un funerale, a sorpresa.

« Anche se stai male, non puoi trattare così chi ti vuole bene. »

È il messaggio che mi ha scritto Kiki, oggi pomeriggio. Poi deve essersi sentita in colpa, perché un minuto dopo me ne ha mandato un altro: « Andiamo a ballare come se tu avessi diciassette anni? Guardiamo un vecchio film come se ne avessi settantasette? Quanti anni vuoi compiere? Io comunque ci sono ».

Non le ho risposto. E non ho ancora ringraziato Matteo.

La sofferenza ti dovrebbe regalare almeno la maleducazione del comportarti come ti pare confidando nella comprensione degli altri, no? Soprattutto nel maledetto giorno del tuo compleanno.

Giò

La regina dei bronci, smaniosa di rassicurazioni da parte del pubblico osannante! Senza vincolo alcuno di reciprocità, naturalmente: soltanto lei può permettersi il lusso di essere maleducata con chi le offre il proprio affetto.

Come osano corteggiarla con una cucciolata di palloncini e organizzarle feste a sorpresa, quando l'unica sorpresa gradita sarebbe lasciarla in compagnia dei suoi fantasmi o recapitarle a casa l'ex marito infiocchettato e ammansito, così che da domani lei possa cercare qualche nuovo motivo per piangersi addosso?

Calmati, Giò. Quando è afflitto da un malanno sentimentale, il tuo cuore non risponde ai comandi e non ne dà, se non di confusi. Perciò finisci sempre per rivolgerti alla testa, ai suoi percorsi ossessivi e tortuosi.

Il Matteo dei palloncini mi restituisce l'immagine di un compleanno lontano. Quasi avesse voluto smentire il tuo incubo, un ragazzo si era presentato alla festa con uno zaino che conteneva trecentosessantacinque regalini: da una forcella di colore fucsia alla cartolina in bianco e nero del ponte di San Francisco.

Il suo dono non valeva niente e però significava tutto. Vi aveva stipato le uniche ricchezze che possedeva in abbondanza, il tempo e la passione, esplorando i tuoi gusti con la dedizione assoluta di un adolescente.

C'eri rimasta male. In quel periodo ti perdevi dietro un intellettuale fasullo dell'ultimo anno, che arrivò alla festa vestito di nero e scortato da un paio di jeans chilometrici a cui era appesa la sorella maggiore di una tua compagna di classe.

Avevi rovesciato il contenuto dello zaino sul letto ed eri scoppiata a piangere. In preda all'equivoco dell'amore, lo spasimante si era concesso l'azzardo di una carezza alla quale avevi replicato con un ruggito: « Vorrei che mi lasciaste in pace, tutti quanti! » Nella stanza c'era solamente lui: lo consideravi talmente poco da non concedergli nemmeno l'esclusiva della tua collera.

Non è il caso di mettere in moto il senso di colpa anche per questo. Dopo vent'anni il giovanotto si sarà ripreso, almeno in parte. Sei tu che ti ostini a rimanere la stessa di allora.

Esci dalla gabbia dei pensieri storti. Chiama la tua amica – Federica o Kiki che sia – e vai in discoteca come se avessi diciassette anni, a vedere un vecchio film come se ne avessi settantasette, o a fare una passeggiata complice come se ne avessi davvero trentasette.

Filèmone

XXII

10 maggio, sera

Passeggiata complice: fatta.
Grazie a te, buon compleanno a me.

Giò

XXIII

Ti scrivo rannicchiata sulla poltrona della stanza d'ospedale dove è stato ricoverato mio padre, che ora dorme con la placidità con cui fa tutto il resto.

Stamattina, quando sul display del cellulare è lampeggiato il suo nome, è stato come se qualcosa di freddo mi toccasse.

Non mi chiama mai, e se proprio deve riattacca dopo uno squillo, per quel terrore di disturbare e di invadere la vita degli altri che gli ha sempre impedito di darmi anche solo un abbraccio come si deve.

Ho risposto e dall'altro capo del telefono una voce sottile, di donna, mi ha avvisato che mio padre aveva avuto un attacco di cuore, ma l'ambulanza era arrivata in tempo, lui era ormai fuori pericolo e lo stavano portando in ospedale per degli accertamenti.

Ho chiuso il telefono e d'istinto sarei entrata nella II B, dove Leonardo aveva lezione, per implorarlo: vieni con me, non mi lasciare sola.

Ma Leonardo ti ha lasciata sola da parecchio tempo, mi sono dovuta ripetere a voce alta, per ricordarmelo bene. Non è più tuo, Leonardo.

E allora ho avvisato Kiki e sono corsa in ospedale.

Quando sono arrivata, mio padre sorrideva pacioso nel suo letto, con la flebo al braccio.

« Scusa se ti ho disturbata » mi ha accolta.

Mi è andato il sangue al cervello.

« Ma papà, che cosa dici? Lo capisci che è proprio con questo non volere mai *disturbare* gli altri che rischi di farli precipitare in un'angoscia tremenda? Come ti salta in mente di non avvisare nessuno, se ti scoppia il cuore? »

« Veramente Vittorio ha chiamato me » ha sussurrato la stessa voce sottile, di donna, che mi aveva telefonato stamattina.

Mi sono girata e l'ho vista: una signora tonda con un'acconciatura a panettone, rossa, e il sorriso buono di chi sembra essersi appena fatta una canna. Era in un angolo della stanza e lì per lì, preoccupata com'ero, non l'avevo nemmeno notata.

« Mi chiamo Adelaide, ma per Vittorio sono Heidi, e naturalmente puoi chiamarmi così anche tu. »

Heidi? Ho guardato mio padre: si era addormentato, o almeno così fingeva di fare.

« Non ti aveva ancora parlato di me, lo so. Lui è terribilmente riservato » ha proseguito Heidi. « Ci siamo conosciuti a un convegno di ofiologia, tre anni fa. Siamo colleghi e l'intervento di Vit mi aveva incantata: era la prima volta che sentivo qualcuno descrivere il boa constrictor imperator con tanta competenza, senza mai scivolare in una banalità e... »

Heidi continuava a parlare, con la sua voce sottile, buona. E io ho pensato: ma guarda, non solo mio padre da tre anni si fa chiamare Vit da una fidanzata con i capelli rossi a forma di panettone, ma telefona a lei, se gli scoppia il cuore. Quindi *sa* chiedere aiuto.

« Se non sono mai riuscito a esprimere la mia sofferenza non è detto che non stessi anche peggio di te. » È un'altra delle tante frasi della mail con cui Leonardo mi ha lasciata.

Hanno sempre avuto molto in comune, lui e papà. Tutti e due introversi, silenziosi, incapaci di dire questo non mi va, questo non mi piace. Ma poi capaci di aggressività disumane: come spiare i messaggi sul mio cellulare, trovare *quello* di Cardoni, fare finta di niente per un mese e poi prendere e andarsene da un matrimonio in ventiquattro ore. O farmi incontrare questa Heidi senza prepararmi alla situazione.

Filèmone, io ho ereditato da mia madre la violenza degli uragani e ti giuro che anche grazie a te provo ogni giorno a controllarmi. Ma non è molto più violenta di un uragano la mitezza di persone come mio padre e Leonardo?

« Dopo quello che hai fatto non ti azzardare mai più a addossare a me la minima responsabilità del nostro disastro. »

Sempre lui, nella sua mail. Ha ragione, certo...

Forse però qualche responsabilità l'ha avuta anche la violenza della sua mitezza. No?

Giò

Tremenda è l'ira dei miti. Spesso le urla che fanno più male sono quelle pronunciate sottovoce. Ho conosciuto un uomo ancora più rigido di Leonardo. Uno capace di restare accanto alla sua fidanzata per giorni senza rivolgerle la parola. Anziché distruggere l'amore con una cannonata, gli aveva tolto i rifornimenti fino a farlo morire di fame.

Anche se a volte hai il sospetto del contrario, tuo padre ti ama più dei suoi boa. Però teme il tuo carattere forte: ogni volta che ti affronta si costringe alla ritirata. Tu scambi le sue fughe per mancanza d'affetto e te ne attribuisci la colpa. Ti lanci all'inseguimento pur di superare l'imbarazzo e lui ti sfugge per frenare il suo.

Persino il giorno del tuo matrimonio sembrava un imbucato, invece che il padre della sposa. Ma io l'ho visto asciugarsi gli occhi mentre cercavi di infilare la fede nel dito sbagliato di tuo marito. E la strana visita che ti fece a scuola, dopo la rottura con Leonardo? Ti parlò di una ricerca sui rettili estinti. In realtà aspettava l'occasione per gettarti le braccia al collo e farti sentire che c'era. Ma appena gli inumidisti la camicia con le lacrime della tua sconfitta, ebbe paura del suo stesso coraggio e si ricordò all'improvviso di avere un appuntamento con qualche invertebrato.

Non puoi cambiare la sua natura. Ma puoi provare ad accettarla. Sprechi tanti di quei sorrisi durante la giornata: regalane uno anche a lui. Per fargli capire quanto sei felice che abbia finalmente trovato la pace tra le braccia di una donna diversa da tua madre. E da te.

Filèmone

XXIV

24 maggio

Filèmone,

grazie ai mesi che passano e a te che resti, comincio a rendermi conto di tante cose... E sento come assolutamente nuovo l'Io a cui mi sto convertendo. È come se fosse pieno di Tu, Lui, Lei e Loro.

Ogni lieve segnale di cambiamento mi meraviglia e mi turba. Ieri notte, per la prima volta da quando Leonardo mi ha lasciata, ho spento la luce e ho dimenticato il sonnifero: ma sono riuscita comunque a dormire. Da qui il mio smarrimento. Da questa specie di pace che stamattina sento dentro. Non sarà forse l'anticamera del ritorno a quel narcisismo che ha distrutto il mio matrimonio?

Voglio tornare a essere me stessa e a rimettere insieme i pezzi sbrindellati della Giò che ero prima di tutto questo dolore: ma quella Giò *è stata* la causa di questo dolore.

E allora dimmelo tu come si fa. A riconquistare la nostra identità, evitando però i suoi effetti, e i suoi affetti, collaterali.

Perdona la confusione. Ma l'armonia è affare di angeli e qui l'angelo sei tu, mica io.

Giò

La mia Ciao-come-sto! Così entusiasta di perdersi nelle trappole della sua mente... Professoressa, ti aspetta un'altra lezione e sai quanto poco le sopporto. Almeno promettimi che sarà l'ultima volta che mi ci costringerai.

Come ogni essere umano, anche tu sei uno spirito incarnato. E cosa fa uno spirito quando si incarna? Si separa dal Tutto per diventare un'individualità. Questo Io, che sgorga dalla testa, ti trasmette la sensazione di esistere in una delle tante dimensioni concepite dall'Universo: il mondo della materia.

La sensazione o l'illusione? Toccherà a te scoprirlo. Da questa parte del velo ho compreso come « cogito ergo sum » sia un'affermazione avventata. Tu esisti davvero soltanto quando non pensi. Perché è quando smetti di pensare con la testa che cominci a sentire con il cuore. È quella la tua identità.

Una cattiva letteratura associa la testa alla saggezza e il cuore alle viscere, attribuendogli gli impulsi più feroci. Se provi, però, a cambiare il punto di vista, rimarrai sorpresa. Alcune onde elettromagnetiche prodotte dal cervello alimentano il desiderio di sopraffazione. Invece le onde irradiate dal muscolo cardiaco entrano in risonanza con ciò che le circonda: favoriscono la cooperazione e l'armonia. Il pronome della testa è Io, il pronome del cuore è Noi.

Filèmone

P.S. Potresti smettere di parlarmi di Leonardo? An-

zi, proprio di nominarlo. *Le ossessioni si guariscono con le azioni. Prova a camminare un'ora tutti i giorni, senza una meta. Arriverai dappertutto.*

XXV

Va bene, Filèmone: allora parliamo di Noi.

Cominciamo da Te, visto che dici di esserlo stato, uno di Noi.

Ti ricordi del calore umano, nel tuo irraggiungibile Chissà Dove in cui tutto è *giusto* e *perfetto*?

Il calore umano.

Quello che non c'è più nella mia vita da quando nella mia vita non c'è più Leonardo.

Il motivo per cui vale la pena venire al mondo.

Tutti.

Giò

INTERMEZZO

Rafa-El, l'Arcangelo della Cura, ritornò in visita al mondo degli Innamorati Eterni, dove il cielo ha il colore degli oceani e le nuvole assomigliano a scogli innaffiati di schiuma.

« Quale pulsione vi ha spinto a chiamarmi? » esordì.

« Lo scoramento » rispose l'Innamorato. « Il servizio che mi hai assegnato si sta rivelando superiore alle mie forze. La Custodita è refrattaria a qualsiasi esperienza spirituale. Un'anima in sonno che non vuole saperne di risvegliarsi. »

« Ti ricordo che sei stato tu a chiedere di occuparti di lei. Conosci la regola: se un Custode rinuncia a fare evolvere l'anima che ha voluto in affido, non può più proseguire nel suo percorso di crescita. »

L'Arcangelo della Cura prese congedo e all'Innamorato non rimase che cercare conforto nella luce che brillava al suo fianco.

« La Custodita è ancora troppo succube delle emozioni e dei pensieri per riuscire a cogliere il linguaggio dei sentimenti » sospirò.

« Perché vorresti rinunciare proprio adesso che la patina dei suoi pregiudizi ha cominciato a scalfirsi? ».

disse l'Innamorata, la cui voce d'argento faceva dimenticare tutte le altre.

« Ho la sensazione che il tuo sguardo nei confronti della mia opera sia offuscato dall'affetto. »

« O forse è il tuo che sottovaluta i segnali. In uno dei vostri scambi più recenti, lei stessa riconosceva di sentirsi migliore, grazie al tuo aiuto. »

« Per poi annegare i progressi nel tono di sfida dell'ultima lettera... Le ho rivelato segreti che avrebbero dovuto incendiarle il cuore. Ma lei niente, si ostina a rimanere abbarbicata alla sterilità dei ragionamenti e alla retorica delle emozioni. Cos'altro posso fare per scuoterla dalla sua apatia? »

« Esaudisci il suo desiderio, Filèmone. Parlale di te. Di noi... »

XXVI

Groviglio di nervi che non sei altro, mi intenerisce il tuo desiderio di prestare agli angeli pulsioni umane. A noi non manca affatto il calore. Ci viviamo immersi: luce pura.

Potremmo crogiolarci eternamente in questa quiete. Invece ogni tanto riteniamo giusto muoverci, allo scopo di fare esperienza: siamo al servizio di un disegno più grande. Così indossiamo un corpo e ci caliamo nel tempo e nello spazio. Ma durante il viaggio dimentichiamo di essere angeli. Dimenticare chi è e da dove viene - le grandi domande dell'uomo - rappresenta la condizione di qualsiasi spirito che precipiti nella materia.

Ti starai chiedendo perché un angelo non possa vivere le stesse esperienze anche nella dimensione in cui si trova. Semplice: da questa parte del velo siamo tutti Uno. E nell'Uno non esiste il tipo di conflitto da cui scaturisce l'esperienza del mondo fisico, dove ogni cosa è duale: male-bene, maschio-femmina, freddezza-calore (umano)...

Mi sono incarnato tante volte. Nell'ultima, che per la tua cognizione del tempo incominciò oltre un secolo fa, desideravo sperimentare il sentimento della compassione.

Mio padre si guadagnava da vivere facendo il falegname in un paese accucciato sotto le montagne e a sedici anni io lavoravo già in bottega con lui. Mi aveva ribattezzato Sciagura. Ogni sedia che usciva dalle mie dita era a dondolo, anche quelle che avrebbero dovuto restare ferme. Avevo mani forti, più adatte a rompere che a riparare. E mi distraevo di continuo: sentivo un concerto di voci nella testa. Mi sembrava di non potere comunicare a nessuno ciò che mi succedeva. Nemmeno a mia madre, che mi amava dell'amore duro e disperato che si riserva agli incompresi.

Un giorno mio padre costruì un violino per uno dei suoi clienti. Ne fui attratto in modo irresistibile, come se fosse l'amico che aspettavo da sempre. Gli pizzicai le corde senza la goffaggine con cui maltrattavo tutto il resto e ne sgorgarono suoni che avevo già ascoltato dentro di me.

Mio padre requisì lo strumento per paura che lo distruggessi. Ma mia madre ne affittò uno con i suoi risparmi e mi mandò a lezione di musica da un prete che millantava di conoscerne le leggi. Ignorando i suoi suggerimenti approssimativi, fu al violino che affidai la mia voglia di suonare. Mi rivolgevo a lui con amore e gratitudine perché mi rivelasse i suoi segreti.

Scoppiò la guerra e mi ritrovai sulle montagne con un fucile al posto dell'archetto. Fui catturato in un'imboscata e trascinato davanti a un comandante che aveva i baffi rossi e la voce bianca di gelo. Mi chiedeva qualcosa in una lingua che non capivo. Sul bordo della scrivania riconobbi uno Stradivari e con gesto istintivo lo afferrai. Il ponticello si era scollato.

Un soldato alzò la pistola contro di me, ma il comandante lo fermò con un ordine rauco. La passione comune per la musica ci aveva trasportati dentro una bolla. Non eravamo più nemici, semmai fratelli d'elezione. Mi guardava come se fossi stato il chirurgo a cui aveva deciso di affidare la vita del suo unico figlio. Da lui ricevetti gli strumenti necessari e la fiducia: quella che da mio padre non avevo avuto mai. Appena il violino fu guarito, impugnai l'archetto e...

Ti sei mai chiesta perché le corde suonano, Giò? Fanno resistenza alla pressione. È da quella resistenza che nasce la musica. Come nella vita: è dalla capacità di resistere alla pressione che nascerà la tua musica migliore.

Mentre suonavo Mozart vidi inumidirsi gli occhi grigi del comandante.

Il calore umano.

Mi sentii invadere da una gioia mai provata prima. Non un'eccitazione, ma una specie di appagamento. Era il tipo di esperienza che cercavo, quella per cui ero venuto al mondo: provare compassione, e farla provare agli altri.

Non rividi più il comandante né il suo violino. Eppure so di dovere a entrambi la vita. Alla fine della guerra riebbi la bottega, ma non i genitori: mio padre era morto di polmonite e mia madre di crepacuore. Vendetti tutto, ed era ben poco. Avevo un fratello più piccolo di cui occuparmi e per procurargli il pane accettai il posto di cameriere in un'osteria, dove servivo ai tavoli tra gli insulti del padrone e gli sberleffi degli avventori. Ma dopo l'ultima portata prendevo il violino e allora stavano tutti zitti.

No, Giò: non ricordo più il calore umano. Però sono sicuro che, se mai tornassi al mondo, mi basterebbe un suono per riconoscerlo.

Filèmone

XXVII

26 maggio

...
 tu non lo ricorderai: eppure, mentre ti leggevo, è tornato a trovarmi. Dopo tanto tempo, finalmente.

 Tra gli impulsi e i pensieri. Mi ha raggiunta lì.
Tua

Giò

XXVIII

Doveva succedere ed è successo.

Evidentemente non c'è possibilità di pace, per la tua Miss Ciao-come-sto.

Sono andata all'aeroporto a prendere mia madre di ritorno dall'Argentina. Come al solito in ritardo, correvo verso gli arrivi: e?

E l'Innominabile e Cosa Così erano in fila per il check-in.

A Parigi, Filèmone! Se ne vanno a Parigi. A conoscere i genitori di lei? I cugini? Gli amici? A perdersi per le strade dove Cosa Così è stata prima bambina e poi adolescente? Non sarà un giro troppo lungo: Cosa Così ha ventisei anni! Quanti vuoi che siano i posti e le persone fondamentali della sua breve (dovrei dire giovane, lo so: ma preferisco dire breve e tu fai finta di niente, grazie) esistenza?

Mi ha vista lui per primo. Quando ho incrociato i suoi occhi, li teneva già fissi su di me.

Mi avvicino? ho pensato. Ma non capivo più niente. Allora sono corsa nel bagno dell'aeroporto per mettermi in contatto con te. Un piccolo consulto, mica pretendevo tanto. Ho chiuso gli occhi e ti ho chiamato.

« Filèmone, che cosa devo fare? » ho ripetuto almeno una decina di volte. Poi mi sono messa a urlare.

« Filèmone, che cosa devo fare? »

« Si sente bene? » mi ha chiesto una voce al di là della porta. Non era la tua, ma quella di una signora. Che ha cominciato a bussare.

Sono uscita dal bagno, « tutto bene signora non si preoccupi », e sono tornata al banco del check-in per Parigi come una tempesta: per fare che cosa mica lo so. Tanto l'Innominabile e Cosa Così non c'erano più.

In macchina la voce di mia madre mi arrivava come un suono indistinto. Mentre lei mi raccontava come era stato facile ritrovarsi con Marcelo (che pare abbia incrociato una volta sola e di sfuggita...), io pensavo a come sia facile perdersi. Basta un attimo e nell'aeroporto che ti ha vista altre volte partire con una persona, ecco quella persona che parte con un'altra.

L'ho osservata soltanto di spalle: aveva ragione il Panacci, è piuttosto minuta. Bionda, con i capelli cortissimi. Ma è strano, sai. Sono ossessionata da lei, eppure non ho avuto nemmeno la tentazione di guardarla in faccia.

Anche adesso, a ripensarci, scopro che non m'interessa sapere che faccia abbia Cosa Così. Mi interessa solo che l'Innominabile abbia di nuovo una vita. E che abbia riempito il suo vuoto, dal momento che riesce a fare Noi con lei, mentre io non sono riuscita a passare neanche una semplice notte con Matteo, per via dei precipizi di nostalgia che ho dentro.

Giò

P.S. Mi interessa anche un'altra faccenda in realtà, caro il mio Filèmone. Mi interessa sapere in quale chissà dove del Chissà Dove vada a finire un angelo, quando nello squallido bagno di un aeroporto hai bisogno di lui e non ti risponde.

Pur di starti appresso mi sono infilato in posti ben più squallidi del bagno di un aeroporto. Ma noi Custodi abbiamo una voce flebile. E nella tua testa ce ne sono tante altre, tutte più rumorose della mia.

In quel bagno stavi masticando il boccone amaro dell'abbandono. La sensazione di sgomento che invade ogni essere umano quando la vita gli mostra le prove della fine di qualcosa.

Al di là delle troppe parole che hai versato anche con me, sai bene che finora non avevi chiuso veramente la tua storia con Leonardo. Proverò a ripeterti il messaggio che ti ho sussurrato invano all'aeroporto: consideriamo un amore ancora nostro finché non ci accorgiamo che è diventato di qualcun altro.

L'immagine del tuo ex marito con la sua nuova ragazza era lo sconvolgimento visivo di cui avevi bisogno per poterti mettere in lutto.

Adesso comincerai un cammino interiore durante il

quale attraverseremo strade buie e valli desolate. Ma io ti terrò sempre una mano sul cuore, affinché la paura non ti paralizzi, e una sulla testa, affinché la disperazione non ti abbatta.

Impareremo ad accettare la morte del tuo grande amore. Ed è questa, credimi, l'unica possibilità che abbiamo di farlo risorgere. Con Leonardo come con chiunque altro.

Filèmone

XXIX

Io adesso respiro forte. Ma tu tienile sempre lì, promesso?

Una sul cuore. Una sulla testa.

Giò

XXX

Un giorno – avrò avuto sei anni – mia nonna si era messa in testa che dovevo imparare a suonare il violino. Era tornata a casa così triste e buia, lei che faceva sempre luce. E aveva questo strumento magico, in legno d'acero, fra le mani.

« È per te » ha detto. « Io non ho avuto l'infanzia giusta per studiare l'italiano e la matematica, figuriamoci le arti. Ma tu, Giò, devi riuscire a fare musica, mentre tutti noi facciamo solo rumore. »

Difficile credere che per mia nonna fosse improvvisamente un problema non avere potuto studiare: era di gran lunga la più intensa e perspicace della nostra famiglia. Ma quel pomeriggio sarà stata assalita anche lei dal rimpianto per tutto ciò che di diverso avrebbe potuto essere e fare...

Dopo il racconto del tuo quaggiù, quel violino mi è tornato in mente – anzi nel cuore: così sei contento. Alla terza lezione è stato subito chiaro, sia al maestro sia a mia nonna, che io ero destinata al rumore, non alla musica: e il violino è sparito.

Fino a stamattina. Ho cominciato a cercarlo come se dalla sua scoperta dipendesse tutto e finalmente l'ho trovato. Dentro un'enorme cappelliera in fondo all'armadio di mia nonna. Che non ha mai indossato un cappello in vita sua... Strano, no? Ma lei era così: strana, uguale soltanto a se stessa.

L'ho sollevato e tenuto fra le braccia: è uno strumento delicato e potente, complesso e semplice.

Somiglia proprio alla vita.

E allora mi sono chiesta se, anche senza suonare, sia davvero possibile fare musica, anziché rumore.

Giò

P.S. Hai notato? L'Innominabile oggi è stato Innominato.

Quel povero violino. Avrei desiderato materializzarmi al tuo fianco solo per potertelo strappare di mano.

Mi dispiace, Giò, ma il violino non è il tuo talento. Credo di poterlo affermare con sicurezza. Il violino e la musica in genere. Il ballo, neppure. E neanche la recitazione, tranne quando interpreti te stessa. La cucina sarei portato a escluderla, a giudicare dalle facce dei malcapitati che si ritrovano nel piatto i tuoi spaghetti immancabilmente scotti.

Sei un'ottima conversatrice a senso unico, questo sì. Ma non saprei se definirlo un talento o una dannazione per l'uditorio, costretto a rinchiudersi in silenzi interminabili. Avresti un corpo armonico, che però non si trasforma in talento perché ti muovi in modo asimmetrico e sulla cattedra assumi pose poco autorevoli, come quando ingobbisci le spalle e incastri un piede sotto il sedere.

Non ti sto giudicando. Mi limito a osservarti. Si potrebbe dire che non faccio altro da quando sei nata. Preso dalla necessità di superare lo sconforto, una volta avevo addirittura stilato un elenco delle attività in cui riesci a infondere l'energia della tua passione.

Sorridere con gli occhi.

Insegnare.

Vestirti e arredare (hai un gusto infallibile e assolutamente personale).

Eppure nessuna di queste tue indubbie propensioni è il talento per il quale sei venuta al mondo.

Ti ho mai detto che ogni essere umano viene al mondo con un talento unico e inimitabile? Sì, molte volte, ma probabilmente non mi hai ascoltato.

E allora te lo ripeto: ogni essere umano viene al mondo con un talento unico, inimitabile. E con il compito di riconoscerlo e di farlo fruttare. Quando scopri il tuo talento e lo eserciti, stai partecipando al disegno della Creazione. Perciò ti senti realizzata, anche se sei povera e sconosciuta. Quando invece non lo scopri, o dopo averlo scoperto lo rinneghi, ti condanni all'infelicità: persino se sei ricca e famosa.

Non è facile individuare il proprio talento, Gioconda. Bisogna avere la pazienza di cercarlo dentro di sé, mettendo a tacere i pensieri per ascoltare la voce dell'intuizione. Ma non basta neanche trovarlo, se poi ti manca il coraggio di accettarlo, magari perché non è uno di quelli che procurano successo e denaro.

Il talento si affaccia già durante l'infanzia, prima che la vita provveda a seppellirlo sotto palate di « Non si può » e « Non si fa ». Ed è lì che adesso noi lo andremo a dissotterrare.

Ricordi quella mattina al parco in cui tua madre ti indicò un prato di margherite e tu, anziché chinarti a raccoglierle, prendesti a calci il pallone che transitava nei paraggi? Era una sfera di plastica, a scacchi gialli e neri: un'ape gonfia e impazzita che riuscisti a ipnotizzare.

Tua madre si ritrasse inorridita: più che dal gesto, poco femminile, dalla sensazione di estasi trasmessa dal tuo sguardo. Di colpo fu tutto chiaro: eri diversa, forse unica, sicuramente incompresa. Una bambina che amava prendere a calci un pallone. Le amiche ti deridevano perché pretendevi di giocare con i maschi. I maschi perché credevano che tu non ne fossi capace, poi perché scoprivano che lo eri anche troppo e si sentivano intimoriti.

Al solito fu la nonna a intuire come la tua musica fosse ciò che agli altri sembrava rumore. Dopo averti visto dirimere una rissa tra compagni di gioco con il piglio assertivo di chi si sente addosso gli occhi riconoscenti del mondo, se ne uscì con una battuta: « Sai, Giò? Forse dovresti fare l'arbitro ».

La prendesti sul serio, come spesso ti capita con le battute. Sovraintendere al destino del prossimo con un fischietto in pugno! Ma certo, la rivoluzionaria sarebbe diventata un arbitro impeccabile. E non uno qualsiasi: il primo nella storia a cui persino i tifosi avrebbero voluto bene.

Rammenti cosa ti indusse a reprimere quel sogno innocente, che pure rivelava tanto di te? Della te originaria, quella che c'era prima della moglie dell'Innominabile, dell'insegnante di Italiano, di tutte le ferite che la vita ti ha inferto?

Filèmone

XXXI

5 giugno

Ci penso da tre giorni... È stata mia madre a reprimere il sogno. Sono state le amichette, i compagni di classe.

No, non è vero: è stata la paura, Filèmone. La paura di non essere uguale a tutti gli altri? Forse. Sicuramente la paura di fallire in qualcosa che davvero mi interessava e che dunque mi avrebbe messo alla prova.

Ecco, l'ho detto.

Ma guarda che cosa sei andato a ripescare, nel mare di melma e tempesta che ho dentro... « Che cosa vuoi fare da grande? » mi chiedevano. Come sai rispondevo: la rivoluzione. E il mio modo per farla sarebbe stato anche quello. Diventare il primo arbitro amato da tutti: calciatori, tifosi, commentatori sportivi. Sarei stata così attenta e giusta che sarebbe stato impossibile prendersela con me e finalmente la mia festa deserta avrebbe avuto i suoi invitati. Capisci? Non avrei solo partecipato al gioco: lo avrei determinato.

« Ma chi ti credi di essere, per dettare le regole di quello che facciamo? Perfino la mia reazione al tuo tradimento vorresti controllare. » Sempre l'Innominabile, nella sua mail.

Giusto oggi mi ha telefonato l'avvocato Cardoni. Non lo sentivo più da quando, quel pomeriggio, nel suo letto, improvvisamente ho realizzato: che cosa ci faccio io qui? E mi sono rivestita in fretta, ho dimenticato le calze e il reggiseno tant'era la voglia di fuggire e tornare alla mia vita. Come se fosse possibile eliminare i nostri errori nel momento esatto in cui li riconosciamo.

Cardoni ha provato a telefonarmi una, due volte. Non ho mai risposto e lui ha capito. All'ultimo ricevimento con i genitori abbiamo parlato velocemente: io guardavo il soffitto, lui fuori dalla finestra. Per fortuna suo figlio è uno dei primi della classe, nonostante si sia chiuso in un silenzio ostinato dopo la morte della madre. Proprio di questo voleva parlarmi oggi, Cardoni.

« Professoressa, la disturbo? » ha esordito. Nel tornare al « professoressa » ho avvertito il mio stesso desiderio di quel pomeriggio: cancellare quanto era successo fra noi. Gliene sono stata grata. « Andrea si fida solo di lei e volevo chiederle un consiglio... »

Aveva la voce spezzata dalla preoccupazione. Il figlio comincia a fare discorsi strani e vorrebbe trasferirsi, per l'estate, in una specie di comune.

« Mi sento impotente, professoressa: ci pensava sempre mia moglie a questo genere di cose. Era lei

quella brava con le parole, l'esperta delle contrad-
dizioni di Andrea » ha sospirato.

E in quell'istante ho smesso di provare per Cardoni la rabbia e il fastidio che avevo avvertito fino
a quel momento. Mi è sembrato, semplicemente,
un essere umano. Fragile, confuso. È stato sposato
per diciotto anni: se è dura per me, chissà quanto
lo sarà per lui intercettare il vero sé, quello che
c'era prima del marito di sua moglie, del padre
di Andrea, del vedovo di oggi, di tutte le ferite
che la vita gli ha inferto.

Pare impossibile riuscirci. Eppure, hai ragione
tu: è necessario. Proverò a parlare con Andrea.
Chissà che un giorno riesca a perdonare il più misterioso degli arbitri, quello che tre anni fa ha fi-
schiato e ha deciso che sua madre, da quel momento, non avrebbe giocato più.

Giò

*Ho conosciuto una persona che perse la moglie a tren-
t'anni e le fu fedele per tutta la vita. Ogni anno, in occasione dell'anniversario, spediva al giornale della
città un necrologio in cui indicava il numero delle volte in cui il sole era sorto e tramontato senza di lei, e le
ribadiva l'inesauribilità del suo sentimento. « So-
pravvivo solo perché il nostro amore continua e io lo
seguirò sempre... »*

La storia è struggente, per cui so che ti piacerà. Ep-

pure l'uomo che si crogiolava nel rimpianto condusse una vita immobile. Tutti abbiamo un dolore da attraversare, ma molti si rifiutano di intraprendere il viaggio e altri tornano indietro o si fermano a metà del guado. Perdono tempo a fissare il passato.

Esiste un solo modo per attraversare il dolore, Giò. Accettarlo e andare oltre. Serve un atto di fede nella vita. La ricompensa sarà l'isola del tesoro: la scoperta di una parte sconosciuta di se stessi.

Dillo all'avvocato Cardoni, a suo figlio e magari anche a te.

Filèmone

XXXII

« Grazie prof, la storia dell'uomo dei necrologi mi ha fatto male, lì per lì, ma quel male che poi mi sa che fa bene. Il contrario di dieci canne fumate una dietro l'altra, non so se mi spiego. »

È il biglietto che Andrea Cardoni ha infilato nella verifica di Italiano. Così, oggi ho cercato di parlargli dell'isola del tesoro. All'uscita dall'ultimo giorno di scuola gli ho chiesto di darmi uno strappo in motorino, ma il casco era troppo piccolo, o la mia testa troppo grande, chi lo sa, ingolfata com'è dai pensieri ossessivi. Siamo rimasti in piedi, uno di fronte all'altro, e all'improvviso l'alunna ero io e i suoi occhi spalancati, rapiti da troppe domande, erano l'interrogazione a cui rispondere senza esitazioni.

Ma non sono arrivata nemmeno alla sufficienza. Ho esordito dicendogli che l'amore di sua madre è sicuramente l'unico che non potrà mai sostituire... Ed era proprio l'ultima cosa da dirgli. Mi ha risposto: « Lo so », ha messo in moto lo scooter ed è sparito.

Perché? Perché ho perso l'occasione giusta con quelle parole sbagliate? Perché ero mangiata dall'imbarazzo, ecco perché. Se Andrea sapesse che la sua adorata prof ha avuto una sottospecie di relazione con suo padre...

Dov'è il confine che separa un segreto da una bugia, Filèmone? È da quando quel ragazzino mi ha piantato in mezzo alla strada che me lo chiedo. Anzi, da molto prima.

« La fiducia è più importante perfino dell'amore e almeno sulla tua sincerità non avevo dubbi » mi ha scritto l'Innominabile nella sua mail.

Eppure ti assicuro che io *sinceramente* lo amavo, anche quando l'ho tradito. E *sinceramente* gli ho nascosto il tradimento per proteggerlo da me e dalla mia insoddisfazione, che rischiava di rovinare tutto e che tutto ha rovinato.

Quando ho scoperto che mio padre stava con Heidi e quando ho incontrato all'aeroporto l'Innominabile e Cosa Così, sul momento anch'io mi sono sentita tradita: ma tu, al solito, mi hai aiutata a ragionare. Sono arrivata a capire, giorno dopo giorno, che siamo tutti ingannati da qualcosa o da qualcuno. E i custodi dei segreti che più ci farebbero soffrire se ci fossero rivelati sono proprio le persone a cui vogliamo bene.

Dunque in che modo si può continuare a considerare la sincerità un valore e rispettarla? Non è forse *sincera* la cura con cui l'avvocato Cardoni e io abbiamo nascosto e sempre nasconderemo ad Andrea quello che è successo?

Certo, poi ci sono le persone come i miei nonni.

Loro si sono amati per sessantuno anni *sincera-mente*, senza che la parola avesse bisogno di interpretazioni. Nonna Gioconda non ha mai nascosto niente a nonno Antonino, né nonno Antonino a nonna Gioconda. Erano due ma sembravano uno, tanto erano forti il legame, la complicità, la vita subìta e quella vissuta insieme.

Ma loro erano l'eccezione che conferma i luoghi comuni. Mentre noialtri, Filèmone? Noi tutti? Come possiamo tenerci in equilibrio fra i nostri più maledetti istinti e il benedetto impegno nel non ferire chi amiamo?

Giò

Ricordi quando la nonna ti diceva che mettere lo zucchero nel caffè significava mentire a se stessi già di prima mattina?

Io sono meno intransigente di lei e penso che la sincerità consista nel dire tutta la verità che i nostri interlocutori sono in grado di sopportare. Se tu scrivessi un libro sui tuoi colloqui con l'angelo custode, molti non ti prenderebbero sul serio, ma nessuno si allarmerebbe. Se invece ne scrivessi uno sulla tua storia d'amore con un alieno, molti continuerebbero a non prenderti sul serio, ma qualcuno si agiterebbe: perché gli alieni, a differenza degli angeli, fanno ancora paura. (Non dimenticarlo, nel caso avessi una storia d'amore con un alieno.)

Abbiamo il dovere di proteggere coloro che amiamo. Durante la mia ultima avventura terrena, una donna mi sottopose una questione delicata. Suo marito si era arreso al disagio che gli procurava la condizione di omosessuale represso, lasciandosi cadere da un ponte. La coppia aveva un figlio che ignorava le inclinazioni del padre e le modalità della sua fine. Ma il ragazzo stava per compiere diciotto anni e la madre riteneva che fosse giunto il momento di fargli incontrare la verità.

Le suggerii che sarebbe stato più saggio cominciare a rivelargliene soltanto una parte e mi incaricai personalmente della missione, spiegandogli che il padre si era suicidato perché non aveva retto all'onta di un licenziamento. Non aggiunsi che il licenziamento era stato determinato da un pregiudizio sessuale. Pensavo non fosse ancora abbastanza grande per contenere tutto quel dolore. Avrei voluto integrare il racconto in seguito, ma il ragazzo venne a conoscerlo da un'allusione maligna di un suo amico e non perdonò mai il mio silenzio.

Continuo a pensare di avere fatto la scelta giusta nonostante il coinvolgimento emotivo: quel ragazzo era mio nipote e suo padre mio fratello.

Il confine tra saggezza e ipocrisia rimane sottile anche quando si maneggia la polvere pirica dell'adulterio. Ho conosciuto persone che tradivano per noia e disamore. Ma ne ho conosciute tante altre che lo facevano per l'ebbrezza di esplorare territori nuovi e colmare un vuoto emotivo. Se non è sempre sano repri-

mersi, più insano ancora è coinvolgere coloro che amiamo nei nostri esperimenti.

Ti sembra credibile che un viaggio lungo e accidentato come quello di una coppia possa essere esente da scivoloni e sbandate? E allora per quale motivo infliggere un'umiliazione al proprio compagno pur di svuotarsi la coscienza?

Il tradimento andrebbe confessato solo quando sancisce la fine della storia: in quel caso lasciarla proseguire nella menzogna sarebbe una mancanza di rispetto. Ma se si cammina per qualche tempo su un sentiero parallelo che non perde mai di vista il percorso principale, ritengo sia preferibile nasconderne le tracce, dal momento che potrebbe trasformarsi in un'opportunità per ritornare con entusiasmo rinnovato al campo base.

Un tradimento uccide soltanto gli amori già morti. Quelli che non uccide a volte diventano immortali.

Filèmone

XXXIII

... come si fa a mandare un abbraccio a un angelo?

Vorrei davvero che ti arrivasse. Adesso e stretto. Ma abbastanza largo perché ci stiano dentro anche tuo fratello e tuo nipote.

Grazie, come sempre. Più di sempre, perché non mi aspettavo proprio una risposta così. E perché per la prima volta non mi sembra tutto sbagliato quello che ho sbagliato. Non mi sembro tutta sbagliata io.

Giò

Tu sei giusta e perfetta (ormai dovresti saperlo).

Appena diventerai consapevole che nessuno potrà mai riempire da fuori il vuoto che hai dentro, sarai pronta per fonderti con un'altra persona.

F

XXXIV

24 giugno

Caro Filèmone,
anche stasera Kiki e il suo Newland Archer sono di là in salotto, a fare finta di essere marito e moglie e a guardare un vecchio film (è la volta di *Arianna* di Billy Wilder). Lei è arrivata qui direttamente dagli esami di maturità, che ci stanno sfiancando, e si è chiusa in cucina a spignattare.

« Voglio vedere se quel palo del telefono che si ritrova per moglie gli prepara mai cene del genere » si sfogava, mentre stendeva la pasta per le lasagne. « Un palo del telefono pare, sul serio. Ho scoperto che è pure vegana. Pensa che palle. »

Come possa averlo scoperto, non ho più neanche bisogno di chiederglielo: Kiki studia ogni giorno nel dettaglio la pagina Facebook della moglie di Newland. Non lascerebbe mai suo marito, te l'ho già detto, eppure coltiva l'odio per la signora Archer con una dedizione che a volte mi sembra superi l'amore che prova per Newland.

« Ormai non dormono nemmeno insieme » continuava, mescolando il ragù. « Lui ha chiesto asilo politico al divano. »

Finché ha concluso la sua tirata, fiera: « E sono

sette anni e tre mesi che non fanno l'amore».
Mentre lei e Newland lo fanno come fossero i primi o gli ultimi esseri umani del pianeta Terra: questo Kiki me lo ripete di continuo. Con piena naturalezza e intensità, dice. Niente ci riesce meglio e a nessuno riesce meglio che a noi.

In effetti quei due, insieme, fanno elettricità. La avverti, l'urgenza della loro attrazione. Tanto che a volte credo non ci sia legame più profondo e autentico di quello che possono creare due corpi.

Avessi visto (ma tanto l'hai fatto, no?) com'eravamo l'Innominabile e io, all'inizio. Sembrava quasi che perdesse di senso, il mio corpo, lontano dal suo, e per lui era lo stesso. Ma poi? Chi lo sa. Giorno dopo giorno era sempre più difficile, per tutti e due, restare fermi in un bacio. In un abbraccio. A letto, la domenica mattina.

Mi torna in mente la poesia di Patrizia Cavalli che l'Innominabile mi ha letto al momento delle promesse, il giorno del matrimonio, e che da lì in poi abbiamo sempre tenuto appesa al frigo, come fosse il nostro comandamento. Mentre alla fine è diventata quasi una minaccia.

È tutto così semplice, sì, era così semplice,
è tale l'evidenza che quasi non ci credo.
A questo serve il corpo: mi tocchi o non mi tocchi,
mi abbracci o mi allontani. Il resto è per i pazzi.

Giò

Non credere che io provi imbarazzo a parlare di certi argomenti. Mi attribuiresti un atteggiamento che è proprio degli esseri umani.

Ti sei mai chiesta perché in ogni epoca il sesso sia stato osteggiato e ridicolizzato? Intanto perché è un gioco e gli adulti provano vergogna ad abbandonarvisi completamente. E poi perché è un gioco sacro e le istituzioni hanno sempre avuto paura di tutto ciò che può mettere gli individui in rapporto con il potere della creazione.

È per questi motivi che il sesso si è trasformato in un tabù. Del sesso si può ridere, ma non parlare. Un silenzio allusivo che alimenta il disagio e induce le coppie a tacersi le proprie fantasie erotiche per andare a realizzarle altrove, magari a pagamento.

Diffida di chi ti dice che il rapporto sessuale abbassa la spiritualità del sentimento a bisogno fisiologico. L'anima dell'uomo risiede dentro un corpo e non può fare nulla se non attraverso il corpo. L'ho compreso durante la mia ultima esperienza terrena, quando nel fondermi con la donna che amavo ho sperimentato l'ebbrezza dell'eternità.

Ti sei mai sentita estromessa completamente dal tuo ego e proiettata in un'altra dimensione, dove si prova piacere nel dare piacere anziché nel riceverlo? È in quel momento che il gioco diventa sacro e si fa veramente l'amore: lo si crea, estraendolo dalle proprie viscere per trasformarlo in un dono.

Nella pratica quotidiana non succede quasi mai. L'amore viene vissuto come un acquisto, quando invece è la cessione di qualcosa di sé a un'altra persona. Anche tu, Giò, sei molto brava a dire «amore», ma ne infondi così poco in tutto quello che fai. E finisci per assegnare quel nome a una dipendenza o a un'abitudine.

La tua crisi con Leonardo è arrivata quando avete smesso di toccarvi e avete incominciato a parlare. Non mi risulta che il vostro primo bacio fosse stato preceduto da un dibattito sulla natura dei sentimenti che provavate l'una per l'altro. Appena si comincia a commentarla, la passione diventa un esercizio cerebrale che conduce al mutismo dei corpi.

Se ho capito qualcosa dell'amore - e da quando sono qui qualcosa credo di averlo capito - è che si tratta di un'energia che nella vostra dimensione non può prescindere dal contatto fisico. I corpi non sono un intralcio, ma il veicolo per arrivare all'essenza: al mistero supremo.

So che è difficile conservare a lungo la tensione della scoperta. Ma tra l'incendio degli esordi e la cenere dei congedi esiste il crepitio del caminetto. Andrebbe alimentato di continuo per evitare che si spenga. Perché poi riaccenderlo è dura.

Filèmone

XXXV

27 giugno

Sì, Filèmone. Mi è successo di sentirmi completamente sbaraccata dal mio ego: è l'Innominabile che ha abbattuto la baracca. Su quei resti, ne era venuta su un'altra, nostra. Che resiste, anche se lui non c'è più.

Mi chiedo quanto per te sia faticoso continuare a esistere, dal tuo Chissà Dove, senza l'unica persona che quaggiù dici di avere amato tanto...

Sarà che le condizioni degli altri ci sembrano migliori semplicemente perché non sono le nostre, ma sarebbe più sopportabile se fra me e l'Innominabile ci fossero di mezzo la terra e il cielo, sai? Mentre a separarci per sempre è stata la presunzione di avere creduto, tutti e due, che il fuoco di quel caminetto potesse alimentarsi da sé, senza che noi dovessimo fare qualcosa per mantenerlo vivo.

Realizzo solo ora, attraverso te, che è stato questo il vero tradimento, reciproco, che ci siamo inferti.

Giò

Mi è molto piaciuto un tema che hai assegnato l'autunno scorso ai ragazzi della II B: In quale delle vostre fantasie vorreste vivere? Ho trovato particolarmente originale lo svolgimento di Andrea Cardoni: «Vorrei abitare in cima alle stelle, per assistere da una posizione privilegiata al Grande Amplesso dell'Universo, dove tutto fa l'amore con tutto in una superiore armonia. E poi risvegliarmi in un'altra vita, reincarnato in un sonnacchioso ippopotamo dentro un laghetto della savana, contando sul famoso emendamento alla legge della reincarnazione che prevede per gli ippopotami la possibilità di ricordare le loro vite passate».

Chissà da chi avrà tratto ispirazione per l'ippopotamo. Forse dai maglioni sformati con cui la sua prof di riferimento si presentava in classe dopo che il suo matrimonio era entrato in crisi? Leonardo diceva che stavi diventando seducente come un piatto di patate lesse. E tu gli ricordavi sarcastica la sua pancia da quinto mese, le sue sinfonie corporali e i suoi musi perenni, contrabbandati per preoccupazioni.

Siete caduti nell'errore di credere che la passione fisica si esaurisse nel brivido della conquista, mentre ci si può desiderare anche in seguito. Poiché a tenere sveglio Eros è la tensione verso un obiettivo non ancora raggiunto, l'amore vive fino a quando gli amanti continuano, almeno un po', a mancarsi.

Filèmone

XXXVI

Caro Filèmone,

anche quest'anno sono finiti gli esami di maturità e anche quest'anno cozzano dentro di me l'eccitazione per il futuro che aspetta i miei ragazzi, la speranza che riescano a individuare i loro sogni e la nostalgia per tutte quelle facce, per il disordine dei loro pensieri, gli sbadigli, le litigate epiche...

Uscendo da scuola ho trovato Andrea Cardoni. Pensavo fosse già partito per le vacanze.

« Ha un minuto, prof? » mi ha chiesto. Aveva un sorriso infinito e io mi sono detta: finalmente! Finalmente è uscito dalla confusione degli ultimi mesi e, chissà, forse la pagella per cui ho tanto lottato gli avrà dato qualche sicurezza in più. E quel sorriso mi è sembrato il premio per i maledetti scrutini che mi hanno costretta a stare seduta allo stesso tavolo con l'Innominabile.

Era difficile ignorarsi, ma lui c'è riuscito benissimo. Pensa che è stato l'unico professore a mollare una sufficienza stentata ad Andrea... Da aggressivo passivo qual è, voleva fare scontare anche a lui la mia storia con suo padre? Non lo saprò mai, non lo saprà nemmeno lui. Ha chiaramente scollegato la testa dal cuore, non è più in contatto con se stesso: sapessi con che distacco, durante il consiglio di classe, ha detto che negli ultimi tempi il ragazzo gli era parso demotivato e distratto...

Guardando con vivo interesse una macchia sul muro, io ho replicato che certi giudizi andrebbero avvalorati da una conoscenza più approfondita delle persone. E per ripicca ho alzato ad Andrea il voto di Italiano.

Così, nonostante il boicottaggio di un insegnante particolarmente prevenuto, il figlio del mio Grande Sbaglio ha avuto la sua pagella trionfale. Che però non ha ottenuto il risultato che speravo. Perché il sorriso con cui Andrea mi ha accolto all'uscita non era il sorriso di chi ha ritrovato la strada di casa. Anzi.

Mulinando le braccia, con un furore che non gli appartiene, mi ha raccontato di avere preso la sua decisione: si ritirerà in una comunità toscana dove, come mi ha spiegato con estrema serietà, si seguono gli insegnamenti di un maestro caucasico che fa nutrire gli adepti soltanto di yogurt e miele.

Gli ho chiesto se potevo fare qualcosa per lui: qualsiasi cosa tranne andarlo a trovare, perché non ho mai digerito né i guru improvvisati né lo yogurt. Ha stiracchiato una smorfia benevola, di circostanza. Del genere: voi non potete capire.

Ho sbagliato tutto ancora una volta, Filèmone? Una pagella scarsa, come quella per cui spingeva l'Innominabile, avrebbe aiutato di più Andrea a riflettere? Forse.

Però non mi sono arresa. Ho telefonato ai compagni di classe che gli sono più vicini, anche se ultimamente si sta allontanando da tutti, e insieme abbiamo ricostruito la situazione.

Andrea si è innamorato a senso unico di Maya, una ragazza più grande, ripetente, della IV C, seguace del guru Vitasnella. Non è una mia alunna, ma è impossibile non accorgersi di lei e all'età di Andrea forse anch'io mi sarei lasciata soggiogare...

Ha una nuvola di riccioli rossi, il piglio fiammeggiante di chi sa cosa è importante e cosa no. E ha tatuata lungo tutto il polpaccio la parola LIBERTÀ, nonostante sia irrimediabilmente schiava dei suoi vestiti arrabbiati e del suo bisogno di ribellione... Gira sempre per i corridoi della scuola con la sua ancella al seguito, la sorella minore, della I C, che la guarda come fosse un oracolo. E che naturalmente, da quando si è unito a loro, pare sia pazza del giovane Cardoni.

La classica catena improduttiva dell'adolescenza, insomma: lui spasima per lei che non lo degna di uno sguardo, ma è adorato dall'altra che per lui non esiste. L'ovvio risultato è che Andrea crescerà con l'idea che le donne siano tutte divinità irraggiungibili o crocerossine da sfruttare, Maya penserà che gli uomini innamorati siano noiosi e finirà per innamorarsi di un bastardo, mentre la sorella si convincerà che gli uomini non innamorati sono dei bastardi e alla lunga si accontenterà di un innamorato noioso.

Come posso aiutarli a spezzare la ferale catena prima che il guru Vitasnella la rafforzi? Ma soprattutto: ti pare che in questo momento io sia in grado di dare consigli sentimentali a qualcuno?

Giò

Ovviamente no. Però lui non lo sa. E con un consiglio assennato acquisiresti quell'autorevolezza sul campo.

Eviterei di affrontare l'argomento in modo diretto, altrimenti Andrea correrebbe subito a rifugiarsi dietro lo scudo del silenzio. Prova piuttosto a dirgli che tuo nipote si è innamorato di una ragazza dal cuore infrangibile e che tu vorresti regalargli qualche suggerimento per non esporlo troppo alle radiazioni della sofferenza, ma temi di urtarne la suscettibilità. E che perciò ti interesserebbe ascoltare il parere di un suo coetaneo.

Spiega ad Andrea cosa vorresti dire a questo fantomatico nipote.

Che non è vero che le donne preferiscono i farabutti ai romantici: desiderano amanti fieri e decisi, e i farabutti purtroppo lo sono. Però anche un romantico può diventare energico, senza rinunciare alla gentilezza.

Che farebbe bene a rivelare alla ragazza i suoi sentimenti, superando la paura di perderla come amica, dato che il Club dei Migliori Amici è già fin troppo affollato di illusi in lista d'attesa.

Che le intenzioni si manifestano con i gesti, non con i discorsi.

E che questa prova iniziatica andrebbe affrontata con leggerezza, lasciando i risultati alla grande legge dell'Universo.

A quel punto non ti resterà che chiedere ad Andrea la sua opinione in proposito. Anche se la timidezza gli impedisse di risponderti, il tuo messaggio giungerebbe comunque a destinazione.

Filèmone

XXXVII

Ci ho provato, Filèmone.

Ma quando ho finito di raccontargli le peripezie amorose del mio ineffabile parente, Andrea mi ha proposto: « Prof, perché suo nipote non viene con me e con Maya nella nostra comunità? Maya dice che solo liberandoci dalle costrizioni delle abitudini sociali, alimentari e familiari potremo accedere al livello di conoscenza spirituale da cui partire per una vera rivoluzione. Magari farebbe bene anche a suo nipote ».

Capisci?

Almeno mi ha promesso che (« quasi sicuramente ») si fermerà in Toscana solo per le vacanze. Imparerà a lavorare il legno (pare che il guru Vitasnella sia un fautore della manualità come via di accesso a quel famoso livello di conoscenza spirituale), ma a settembre lo rivedrò in classe. « Quasi sicuramente. »

Nell'attesa, sono libera. Cioè occupatissima dall'angoscia per un'estate che vorrei mi facesse solo la cortesia di passare in fretta. Se penso che un anno fa io e l'Innominabile eravamo in partenza per Paros... Fra noi già non andava più: ero esausta, e oggi non saprei nemmeno dirti perché. Lui mi guardava, zitto, con quegli occhi da sanbernardo ferito, mentre io me la prendevo con la scuola, con la lavatrice, con il mondo.

Ma poi, una volta a Paros, anche noi ci siamo trasformati in un'isola: eravamo di nuovo quelli che si erano incontrati in sala professori cinque anni prima. Familiari l'uno all'altra, anche se così misteriosi. Anime prescelte, diresti tu.

Rientrati a Roma, sono tornati i problemi: il crepitio nel caminetto s'è fatto muto. E adesso che ci sarebbe da fare un altro viaggio per ricordarci chi siamo, l'Innominabile non c'è più.

Kiki mi ha proposto di andare in montagna con lei, il marito e i bambini. Newland Archer, come ogni anno, girerà in roulotte con la famiglia: s'inventeranno passeggiate solitarie per farsi una telefonata, litigheranno se proprio in quel momento l'altro avrà il cellulare spento e poi si ritroveranno a settembre. Uniti per sempre, perché per sempre divisi.

Anche Matteo mi ha chiesto di partire insieme: volerà in Mongolia, nel deserto del Gobi. Mi ha chiamato qualche giorno fa: « Ti assicuro che non è un modo per provarci. Che mi piaci lo sai, ma capisco il momento che stai passando: credo che un viaggio del genere ti farebbe bene. Andiamo ad assordarci di silenzio, dai » ha detto. Da anima mia complementare qual è.

Mio padre resterà a Roma con Heidi, sostiene

che la città che si svuota sia la loro meta di vacanza ideale. Mia madre invece è già partita per il casale di campagna di una sua amica, dove pare abbia piantato le tende un insegnante di yoga che non le è affatto indifferente ed è anzi, al solito, « l'uomo che dà un significato a tutto quello che le è successo finora ». Perfino lei avverte quanto mi senta persa e mi ha proposto di raggiungerla.

In montagna con Kiki? Nel deserto con Matteo? In città con mio padre? O a fare yoga con mia madre? Dove e con chi l'ammazzo, quest'estate?

Giò

Esistono infiniti modi per rendere indimenticabili le tue vacanze, Gioconda, ma sfiderò il rischio dell'impopolarità per proportene uno a cui di sicuro non hai ancora pensato. Scomparire da sola in un luogo dove non conosci nessuno.

Capisco che possa sembrarti un'ipotesi bizzarra. Del resto non sei mai riuscita a concepire un piacere al di fuori di una relazione. Ricordo il tuo scoramento quando Silvia Balestrieri, la compagna dalla quale copiavi con diligenza i compiti di matematica, si sfilò all'ultimo da una vacanza-studio in Inghilterra.

Rinunciasti alla partenza anche tu, preferendo seppellirti nella tua stanzetta per un'estate intera, una delle più torride di sempre, piuttosto che affrontare in solitaria la temibile traversata della Manica e l'an-

cora più temibile coabitazione con una famiglia di sudditi della Regina che ti avrebbe costretta a mangiare pudding di riso e a parlare soltanto inglese.

Il tuo solito problema con il vuoto, anima mia. La solitudine ti sgomenta e hai bisogno di riempirla con qualcuno: non importa chi e non importa come. Per te un'esperienza esiste soltanto se hai la possibilità di comunicarla immediatamente a un altro essere umano.

Detta così, sembra una cosa bella. E lo è, a patto che non si trasformi nell'unica opzione disponibile. Si completa con gli altri solo chi sa bastare a se stesso. E, prima che ti venga in mente di usare questa massima per avvolgerci dei cioccolatini, mi ergerò in tutta la mia autorità angelica per impartirti un imperativo morale: «Scompari nella tua Grotta di Ricarica!»

Tutti hanno un nascondiglio dove addormentare il proprio ego e mettersi finalmente in ascolto. I grandi saggi spariscono dentro grotte vere per digiunare e meditare. Ma io sono un Custode di poche pretese: mi accontento di una grotta immaginaria.

Mi basterebbe che per una volta tu partissi in compagnia di te stessa. Che guardassi il mondo con i tuoi occhi e lasciassi depositare le emozioni, senza condividerle necessariamente con altri. Che vivessi la prossima avventura dentro il tuo cuore e non sempre e soltanto fuori di te (e di testa).

Tanto non sei sola nemmeno quando resti sola. Con te rimane sempre il tuo

Filèmone

XXXVIII

Maledetta Silvia Balestrieri!

Benedetto te.

Comunico, dunque sono. Ma il punto, Filèmone, è sempre la paura che, nel vivere un'emozione anziché comunicarla, sia l'emozione a vivere me. E di me faccia quello che le pare.

Come mi succedeva da piccola, quando un litigio fra i miei genitori nell'altra stanza trasformava la mia in una navicella spaziale, schizzata verso galassie di disperazione sconosciuta e senza limiti... O quando un sabato pomeriggio al luna park, con i miei genitori mano nella mano, la gioia assoluta che provavo a girare su quelle giostre diventava subito una nausea insostenibile.

Finalmente l'ho detto. Anzi no, l'hai detto tu. Ho navicelle spaziali pazze e giostre anarchiche, dentro. Ecco perché cerco fuori. Che cosa, non ha mai avuto troppa importanza. L'importante è fuggire. E allora come si fa a trasformare in una strada la confusione spaventata delle nostre orme? Come si fa a trasformare quel fuggire in un andare?

Giò

È solo quando ti abbandoni veramente che l'Io si sovrappone al Me.

La consapevolezza di se stessi è una musica. Se appoggi una mano sul tuo plesso solare, lungo il sentiero del cuore, la sentirai suonare.

F

XXXIX

Ho avuto bisogno di qualche giorno per confrontarmi con la mia compagna di viaggio. Me.

Pare che siamo d'accordo, sai? Partiremo. Io e Me. Che è comunque un modo per dire Noi. Da sole, come ci sentiamo da sempre, ma come di fatto non stiamo mai.

Da quando ce l'hai consigliato, tutti i giorni camminiamo per almeno un'ora. A volte bariamo e ci attacchiamo al cellulare, con Kiki o con mia madre, per giocare a nascondino col rumore del vuoto che tanto ci spaventa. Dovrebbe chiamarsi silenzio, quel rumore. Dovremmo, Io e Me, riuscire a trasformarlo in musica, come scrivi tu e come si augurava mia nonna.

Ogni tanto, però, ecco l'incanto di cui parli. I pensieri ossessivi si spezzano, evaporano in idee: l'anno prossimo vorrei che Laura Cerutti della I B si accorgesse che ha negli occhi due lanterne volanti pronte per essere lanciate nel mondo, invece di nascondersi sempre in bagno durante la ricreazione. Oppure: chissà in quante foto di turisti capitiamo perché al momento del *clic* passavamo di lì, non lo sapremo mai. O ancora: e se un giorno al mese i poeti lavorassero in laboratorio e gli scienziati se ne stessero al bancone di un bar a parlare con chi gli si siede vicino?

Ma non sempre siamo brave ad abbandonarci a noi stesse. Il più delle volte litighiamo, perché Io non perdona a Me di avere dato per scontato l'Innominabile, Me non perdona a Io di non perdonarla e così ci abbaiamo contro e basta.

Fatto sta che su Internet ho trovato un'offerta dell'ultima ora per Rapa Nui, l'Isola di Pasqua. Era da sempre il nostro sogno. Mio e dell'Innominabile, intendo. Una delle nostre prime sere insieme, dopo tutti i baci e le parole, abbiamo acceso la televisione e c'era un documentario sui *moai* di Rapa Nui. « Prima o poi ti ci porto » mi ha promesso lui, quella notte. Gli ho creduto.

Negli anni abbiamo provato a organizzarci, invano: o mancava il tempo o mancavano i soldi. E appena l'Innominabile mi ha lasciata, sai qual è la prima cosa a cui ho pensato? Non andrò mai a Rapa Nui!

È stato un pensiero a forma di airbag, di quelli cretini che quando un evento davvero brutto ci travolge vengono fuori per proteggerci dall'urto con la realtà... Ma oggi sento che la mia Grotta di Ricarica deve essere un posto dove non avrei mai voluto andare senza che mi scortasse lui.

(Anche se, Filèmone, il mondo intero mi sembra un posto dove non può scortarmi che lui.)

Giò

La parentesi finale ha rovinato tutto. Ma sospetto fortemente che fosse sincera.

Mi ha sempre colpito l'atteggiamento delle donne nei confronti dell'amore. Si tratta di un atto di fede incondizionato che difendete da ogni minaccia, compresa quella dell'evidenza. Disposte a qualcosa di ancora più spericolato che perdonare il vostro compagno: illudervi che possa cambiare.

Quando investite la vostra vita in un uomo, non importa in quali disastri vi coinvolga: li sopporterete con stoicismo. Ma, appena smettete di credere in quella storia, vi si spegne la luce dagli occhi, il vostro cuore fa uno scatto e diventa una trappola. E non esiste rimonta possibile per il maschio. Nemmeno se comincia a offrirvi le cose che prima vi negava. Perché la «voi» di prima era un'altra donna. Una donna che pensava, viveva e respirava in Due.

Prendo atto del filo che ancora ti lega al vecchio Due. Non ti chiedo di reciderlo, ma di lasciarlo fuori dalla valigia. Per il tuo prossimo viaggio hai bisogno di un bagaglio leggero.

Filèmone

XL

È vero. Finora non ho fatto che cercare di ricomporre quel Due, con il rimpianto o con il rimpiazzo, come quando ho provato a uscire con Matteo. Ma forse, anziché ricominciare da un compagno di viaggio, bisogna ricominciare dal viaggio. Quest'estate, e in assoluto.

Non è facile. Non è affatto facile. Alle mie vacanze pensava sempre l'Innominabile. Si occupava dei biglietti, studiava le tappe, gli itinerari, prenotava gli alberghi. Il mio talento era intrecciare i nostri viaggi con le persone che incontravamo. L'Innominabile ha (aveva?) la forza e la fragilità degli introspettivi, io la forza e la fragilità degli estroversi.

Volerò da Roma a Buenos Aires e mi verrà a prendere all'aeroporto il famigerato Marcelo, il fidanzato (ex o immaginario) di mia madre. Il giorno dopo partirò per Santiago del Cile. Passerò lì qualche giorno e poi via, destinazione Rapa Nui.

Eppure mi sembra tutto così precario, se organizzato da me. Ce la farò da sola? E nel frattempo chi permetterà all'Innominabile di stringere nuove amicizie, di conoscere persone sorprendenti? Cosa Così? Ce la farà da solo?

Mi guardo attorno e vedo che nessuno capitalizza quello che ha imparato con l'altro, se l'altro se ne va. L'avvocato Cardoni, da quando ha perso sua moglie, ha perso anche la possibilità di parlare a cuore aperto con suo figlio e niente ha potuto contro le lusinghe del guru Vitasnella. Mio padre, da quando si è separato da mia madre, non ha più messo piede in un teatro. Mia madre ha ripreso a mangiare sempre o mai, e non ha più tenuto sotto controllo i pranzi e le cene, come mio padre le aveva insegnato a fare. Perfino mia nonna, dopo sei mesi che mio nonno è morto, ha pensato bene di seguirlo, anziché continuare senza di lui.

Perché, Filèmone? Perché non riusciamo a fare davvero nostre le persone di cui ci innamoriamo, e invece finiamo col sentirci separati anche dentro, quando ci separiamo da loro? Succede pure a te di sentirti così, nel Chissà Dove? Quando pensi all'unica persona con cui hai « sperimentato l'ebbrezza dell'eternità », intendo.

Giò

Da questa parte del velo, Giò, la separazione non esiste più. Si appartiene tutti a quel Noi di cui ogni amore terreno vorrebbe essere il prototipo. E credo che il mio lo sia stato. Non esistono parole umane per definirlo. Lei per me era offerta, altare e dea allo stesso tempo.

La conobbi al culmine di una giovinezza offuscata dalle polveri della guerra e dalla morte dei miei genitori. Quando, rimasto senza null'altro che un fratello triste, il mio violino e un certo talento barbaro nel suonarlo, facevo il cameriere imbranato nell'osteria del paese.

Ero il migliore amico di tutti, ma non avevo neanche un amico. La mia esistenza assomigliava a un castello diroccato da cui mi affacciavo per guardare le scorribande degli altri, con la consapevolezza che la mancanza di ponti levatoi mi avrebbe impedito di scendere in mezzo a loro.

Il mio rapporto con le donne si limitava alle indicazioni stradali, ma possedevo l'ignoranza curiosa degli autodidatti e mi dilettavo a scrivere lettere sentimentali di una riga sola, che regalavo agli amanti in cerca di una nota poetica con cui ingentilire le pratiche spicce della conquista.

Un ragazzo che aveva la sensibilità di un lampione, e come un lampione si accendeva solo la sera per andare a sfogarsi nei bordelli meno costosi, si invaghì di un'infermiera dagli occhi allegri che lavorava nelle retrovie dell'ospedale. Mi ordinò una lettera che lo esentasse dall'imbarazzo di una dichiarazione. La scrissi di getto, sul retro di una cartolina che sapeva di frutta appena raccolta.

« Vivi il tuo amore, non chiedergli di vivere per te. »

Il committente storse la bocca: perché mai quell'anima semplice di cui ambiva a scardinare la serratura avrebbe dovuto sdilinquirsi per una frase che non aveva capito nemmeno lui? Ma era tale il suo rispetto per la parola scritta che decise di tenersi le mie come portafortuna, chiedendomi soltanto la sfacciataggine di firmarle. Questa tua frase non mi renderà felice, disse, ma almeno mi renderà ricco, se un giorno diventerai famoso.

Non ci credeva, e con qualche ragione, dato che famoso non lo sono diventato mai. In realtà aveva un suo piano, ispirato dal lato burlone di un carattere per il resto prevedibile. Senza dirmi nulla, mandò le mie parole autografate alla figlia della fioraia che lo aveva respinto tre volte e che tutto il paese chiamava Madonna delle Rocce per alludere all'inaccessibilità della scalata.

La Madonna trovò il modo di restituirmele con una risposta ancora più breve: « Parliamone ».

Quella sera, appena ebbi finito di riordinare i tavoli sbrodolati dagli avventori, presi il violino e andai a stanarla in un angolo della piazza, con l'imbarazzo circospetto di chi teme di essere vittima di uno scherzo crudele. Ero deciso a non aprire bocca: sapevo, per averlo letto nei libri, che alle donne piacciono gli uomini silenziosi. Sono convinte che le ascoltino.

Nell'incrociare i suoi occhi a spillo sentii il mare muoversi dentro di me. Altro non dirò, per non apparirti grottesco e perché altro non ricordo. Almeno fino a quando - minuti o forse secoli dopo - le presi una mano piena di approdi e mi resi conto che lei non la ritraeva. Allora socchiusi gli occhi e, mentre le labbra si avvicinavano, seppi che stava per succedere qualcosa che persino in quel momento continuava a sembrarmi impossibile.

Era l'attimo in cui la passione ha appena lasciato le sorgenti dell'amicizia e non è ancora approdata alle sponde del sesso. Lei si sciolse dall'abbraccio e nell'allontanarsi portò una mano alla bocca per non farmi vedere che era felice.

Ho imparato tanto da lei. Aveva frequentato solo le prime tre classi delle elementari, ma davanti a un cielo notturno d'estate, contemplato dall'erba su cui avevamo sdraiato i nostri corpi smaniosi e preoccupati di sfiorarsi, era stata capace di esclamare: « Chissà se le stelle, per esprimere un desiderio, aspettano che cada la Terra! »

Aveva il dono divino di ribaltare il senso comune. Per questa ragione, e per innumerevoli altre, non ci siamo mai separati. Anche se facemmo l'amore una volta sola e non vivemmo sotto lo stesso tetto nemmeno un minuto.

Filèmone

XLI

Con la tua storia come biglietto aereo sono arrivata a Buenos Aires e domattina prenderò il volo per Santiago.

Marcelo è un gigante buono dagli occhi che schizzano scintille, posso capire che mia madre abbia perso la testa per lui. Non so come siano al momento i loro rapporti: al telefono lei mi ha raccomandato di « riempire di baci sulla faccia il suo *guapito* ». Lui, quando gli ho recapitato il messaggio, ha urlato, battendosi un pugno sul torace: « *Maravillosa. Tu mother es maravillosa* », nel misto di spagnolo, inglese e italiano con cui ci siamo sforzati di comunicare.

Oltre a un entusiasmo un po' isterico ma contagioso, quei due condividono una vocazione istintiva alla teatralità che anch'io ho ereditato, come non manchi mai di farmi notare, e la miracolosa leggerezza nel rapportarsi a se stessi e agli altri che a me invece è sempre mancata.

Fatto sta che Marcelo mi ha trascinata in giro per Buenos Aires, senza nemmeno lasciarmi il tempo di una doccia. Abbiamo fatto colazione a Plaza San Martín, dove non c'è bisogno di guardarsi intorno perché tutto ti travolge, i colori, gli odori, le facce, la luce. La luce, Filèmone: non immagini che luce.

Poi, deciso a farmi conoscere in un giorno solo il *sentido profundo* della sua città, ha cominciato a camminare e camminare. Io dietro. Per Avenida 9 de Julio, fino al teatro Cervantes. E poi ancora. Il Colón, l'Obelisco. Ci siamo fermati a un certo bar Richmond (« *el favourite de tu mother belizima* » ha sospirato Marcelo, asciugandosi dagli angoli degli occhi lacrime che non c'erano, « ... *we hemos transcurrido aquí momentos fantásticos!* ») per un *café con leche*, delizioso...

Insomma, Filèmone: chi è? Chi è questa donna che si è affidata a un argentino sconosciuto, di *barrio* in *barrio*, e non era mai stanca, anzi: la sera s'è incantata di fronte al tango che esplodeva per le strade di San Telmo? Chi è questa donna che ancora adesso, nella camerata del suo ostello, avrebbe voglia di ballare, se solo lo sapesse fare?

Soprattutto: chi è questa donna che fra gli strappi del cuore e quello che le succedeva attorno, per una volta ha scelto di concentrarsi su quello che le succedeva attorno? Che non ha bisogno di nominare (e nemmeno di non nominare...) il suo ex marito per sentirsi autorizzata a esistere?

Non sarà mica

Giò?

P.S. Come sempre nel momento meno oppor-
tuno, mi ha appena richiamato mia madre. Voleva
sapere tutto, nei minimi particolari, della mia
giornata con Marcelo.

« Che ti importa di Marcelo? Adesso non è il tuo
maestro di yoga 'l'uomo che dà un significato a
tutto quello che ti è successo finora'? » l'ho pro-
vocata.

« Lo era, ma stiamo attraversando una piccola
crisi. Sai, ha strane teorie, sostiene che per ripu-
lirsi da tutte le scorie della vita bisogna mangiare
solo yogurt e miele. E quando mi ha scoperta a in-
zuppare di nascosto dei biscotti al cioccolato in un
barattolo di maionese mi ha... »

L'ho interrotta subito: « Mamma, ma sei dal
guru Vitasnella! C'è un ragazzo che si chiama Andrea Cardoni, lì? »

Lei mi ha risposto: « Sì che c'è: un ragazzo molto sensibile, purtroppo messo sotto schiaffo da
una certa Maya, una vera stronza, ma adesso dimmi di Marcelo per favore... Ti ha chiesto di me? »

L'ho rassicurata subito su Marcelo e così le ho
potuto spiegare chi fosse Andrea e quanto fosse
importante difenderlo da se stesso, in questo momento.

« Ci proverai, mamma? »

« Certo, tesoro. Se tu proverai a convincere
Marcelo a venirmi a trovare a Roma. »

Affare fatto.

Sarà anche tutto giusto e perfetto, come dici tu,

ma intanto eccomi qua, dall'altra parte del mondo, costretta a lanciarmi in un'altra impresa superiore a ogni immaginazione: fidarmi di mia madre...

Vedrai che ti stupirà. Grazie a te, sta cominciando a evolvere persino lei. Lasciamola alle cure del suo angelo e occupiamoci dei tuoi progressi. Travolta dal fare, ti sei finalmente dimenticata di pensare.

Ci hai fatto caso? Esistono tanti modi per firmare una tregua con il cervello, alcuni salubri e altri decisamente meno, eppure tutti si chiamano allo stesso modo: viaggi.

Sono felice che un aereo ti abbia portato lontano dalle secche in cui si era arenata la tua anima. Ma per viaggiare non è indispensabile trasportarsi dall'altra parte del mondo. Si può uscire da se stessi con i suoni di un disco o le parole di un libro. Persino con un paio di scarpe da ginnastica.

Ho sempre avuto una fascinazione segreta per quei fachiri in movimento che sono i maratoneti. La loro corsa è un viaggio in cui si incontrano culmini di onnipotenza e strapiombi di disperazione. Chiunque affronti il percorso troverà in agguato un chilometro di piombo, durante il quale i pensieri si appesantiscono assieme alle gambe e la mente si rifiuta di sopportare il dolore: vorrebbe soltanto arenarsi al bordo della strada.

In quel momento il maratoneta decide se ritirarsi o

resistere. La crisi lo sovrasta e nessuno in coscienza può dirgli quando finirà. Ma l'atleta fa una scommessa con il proprio destino e rinvia la resa di un metro, di un altro, e poi di un altro ancora: finché le gambe ricominciano a respirare un'aria più leggera. Tagliato il traguardo, scoprirà che il chilometro di piombo lo ha trasformato. Avendo oltrepassato la morte, è diventato immortale.

È di questo che andiamo in cerca nei viaggi. Di una prova che consenta di comprendere chi siamo e di dare valore a quello che abbiamo.

Ogni essere umano è un eroe. E l'eroe combatte sempre per tornare a casa. Potrebbe restarci fin dall'inizio, ma l'intuito gli suggerisce che per amare le sue radici in maniera consapevole dovrà prima lasciarle, dimenticarle, addirittura rinnegarle, per poi iniziare a struggersi nel ricordo e, superata la prova della lontananza, decidere in piena libertà di farvi ritorno. Soltanto allora sarà in grado di apprezzare ciò che già possedeva, ma non era in grado di comprendere.

Il tesoro che cerchi si trova dove sei, ma come faresti a saperlo se non andassi a cercarlo da qualche altra parte?

Buone vacanze dal tuo

Filèmone

XLII

Filèmone,

la tua maratoneta si è rimessa in marcia. Se Buenos Aires è maleducata, inopportuna e proprio per questo irresistibile, Santiago del Cile è vivace, ma di fondo melanconica. Dunque mi somiglia di più.

Sono qui da due giorni e tutto mi pare già amico. Oggi ho preso il pullman per Valparaíso: volevo visitare la casa di Neruda, il mio poeta preferito. Mio e di Leonardo.

Dopo tanto tempo torno a fare il suo nome. Sì. Avevo il terrore di essere torturata dalla nostalgia e dal rimpianto. Invece, girando per quelle stanze, mi sentivo serena. Piena di lui. Anche se con un vuoto dentro che non mi abbandona mai.

E allora gli dedico questi versi, dovunque lui sia. Senza rabbia. Anzi. Con la nuova, profonda tenerezza che sento nel cuore, o giù di lì.

> *Ahi, vita mia*
> *non solo il fuoco brucia tra di noi*
> *ma tutta la vita,*
> *la semplice storia,*
> *il semplice amore*

di una donna e d'un uomo
uguali a tutti gli altri.

Che cosa mi succede, Filèmone? Sto cominciando davvero a dimenticare? A lasciare morire, o comunque andare, quello che è stato? Dov'è finita la violenza del mio amore per lui? Eppure, più che mai, lo sento necessario. Che paradosso, vero?

Passeggiando a lungo con me stessa, in questi orizzonti così capaci di allargare i sensi, mi è presa, improvvisa, una voglia pazza di vivere. Ma, altrettanto improvvisa, una paura pazza di morire. L'ho cavalcata per due notti insonni, ma non inutili se alla fine mi ritrovo con delle domande che non mi ero posta mai con tanta urgenza.

Che senso ha questo nostro agitarsi? Cosa ne sarà delle persone che amo e cosa rimarrà di tutti i miei sforzi, di tutto il dolore e di tutte le gioie, quando anch'io sarò nel Chissà Dove? Tu sarai con me anche lì? Come?

Altro che una donna in cerca del coraggio della sua maturità... ti sembrerò una coetanea di Andrea Cardoni, un'adolescente in crisi. O forse sono io a sentirmi così. È che evidentemente non sono abituata a liberare le mie paure e i miei desideri più profondi senza mascherarli da paure e desideri superficiali. Ma se non li consegno al mio angelo, a chi?

Giò

Ti ringrazio per la fiducia, anche se non ti rivelerò nulla che tu già non sappia. Posso solo aiutarti a ricordare.

Il viaggio procede spedito. Ti sei lasciata alle spalle il furore: se hai cominciato a fare pace con il pensiero del tuo ex marito, è perché ti stai finalmente riconciliando con te stessa. L'esperienza di questi giorni ti ha rivelato quanto sia importante il movimento. Chi resta fermo ad aspettare che la vita gli restituisca ciò che gli ha tolto otterrà soltanto rancori mescolati a rimpianti.

Partirò da qui per rispondere alla domanda che si è insinuata nelle tue notti, come in quelle di miriadi di altri cuori pulsanti: che senso ha questo nostro agitarsi?

Il movimento, Giò.

Cosa sarebbe un artista senza le opere? Pura potenzialità. L'Uno da cui tutti proveniamo è quell'artista. Per esprimere i propri talenti ha bisogno di compiere opere. E le sue opere siamo noi. Spiriti rivestiti di materia ed esposti alle intemperie della vita per arrivare alla comprensione di se stessi e ricongiungersi all'Uno in maniera volontaria e consapevole.

La morte fisica è un passaggio nella luce. Quando uscirai dal tuo corpo, ti ritroverai in una dimensione nella quale scoprirai di essere già passata. La riconoscerai dall'energia, perché è identica a quella di cui adesso insegui la scia, ogni volta che ti lasci incendiare da una passione.

I tuoi cari saranno con te, in un mondo e in un modo che oggi non riesci neanche a immaginare.

Quanto al tuo Custode, ogni angelo è un tramite fra

la terra e il cielo, cioè fra la materia e le altre dimensioni. Anche lui ha un compito da svolgere e, appena lo esaurisce, cede il passo a un suo simile.

L'esistenza umana è un fiume di energia che sfocia in un oceano infinito, ma prima di arrivarci incrocia bivi e cascate. Quando incomincerai a essere veramente Giò, un nuovo angelo prenderà il mio posto: fino al prossimo bivio e alla prossima cascata. Mi auguro che possa accadere presto. Significherebbe avercela fatta già in questa vita, a farti diventare te.

Filèmone

XLIII

14 agosto

Caro Filèmone,

mi trovo a Rapa Nui da qualche giorno e ti scrivo dalle pendici del vulcano di Rano Raraku, dopo una di quelle meravigliose scarpinate spezzaossessioni che tu tanto sponsorizzi.

Un moai steso sul fianco sembra guardarmi negli occhi e promettermi che tutto andrà bene... Passo ore intere a contemplare, ipnotizzata, queste facce enormi con le labbra serrate come a voler mantenere loro per prime il segreto che le riguarda. Sono state costruite per augurare buona pesca e buona vita a tutti? Sono tombe? Divinità?

Günther, il proprietario della pensione dove alloggio, mi ha raccontato che nessuno può dirlo con certezza. È un vecchio austriaco con lo sguardo di chi ne ha viste tante, forse addirittura troppe, e non è un caso che, a un certo punto, abbia deciso di trasferirsi qui dove non c'è niente da imparare, ma solo misteri da accettare. Non è un caso nemmeno che ci sia finita io, me ne rendo conto giorno dopo giorno.

« Quante domande vi fate, voi! » mi ha detto

oggi Ramana, la ragazza che aiuta in cucina Edith, la moglie di Günther. Con «voi» intendeva noi che non facciamo parte dei duemila abitanti dell'isola. Sembra sinceramente divertita dal nostro bisogno di domande. Quella che le pare più assurda è: figli sì o figli no?

«Mia madre ha venticinque fratelli... Io ne ho quattordici. Praticamente siamo tutti parenti, a Rapa Nui» mi ha spiegato Ramana. «Come è possibile non avere figli?»

Si è messa a ridere, mora e un po' magica. Molto diversa dalle persone che scrutavano Leonardo e me con sguardi carichi di giudizio, di biasimo e di quella domanda incandescente: perché non fate un figlio? Ramana non giudica: si stupisce, come i bambini. Il suo stupore mi arriva dentro, dove quella domanda, naturalmente, c'è. E fa male.

Perché non abbiamo avuto un figlio, Leonardo e io?

Magari ci saremmo messi in salvo. Ci avrebbe messi in salvo lui.

Chi può dirlo? Tu, naturalmente. Quindi non ti azzardare neanche a passare il testimone a un altro angelo proprio adesso.

Giò

Adesso non è ancora il momento giusto. Neanche per riprodurti. Se i moai aprissero bocca, ti risponderebb-

bero che i figli vanno fatti per il bene dei figli. Non dei
padri e delle madri.

L'amore assomiglia a Ramana: si stupisce e non fa
domande. Non ha un perché. È il perché. E il suo perché è il desiderio di generare qualcosa che sopravviva
agli amanti.

Un figlio, fisico o spirituale.

Non esiste solo la fecondità del corpo, Giò. Anche l'a-
nima può fecondare e venire ingravidata. Anche l'anima può eccitarsi davanti alla bellezza e provare la pulsione irresistibile di creare. Sentiti libera di amare un
progetto, un passatempo, un ideale. Perché sarai veramente viva se, e finché, amerai qualcosa o qualcuno.

Tu e Leonardo eravate una coppia sterile. Creavate
soltanto infelicità. Ancora troppo figli per generarne
uno.

Mi replicherai che gli esseri umani hanno una capacità straordinaria di adattamento e che tante donne
immature si sono scoperte adulte in seguito a una gra-
vidanza. Se avessero aspettato di essere pronte, non lo
sarebbero state mai.

È la verità, ma se a te non è accaduto significa che
la tua esperienza in questa vita doveva essere diversa
dalla loro. Non avere figli ed esprimere in altro modo
la tua potenza creatrice. Averli in futuro con un uomo
diverso da Leonardo. Oppure con lui, ma solo se riu-
sciste a diventare una coppia di danzatori immersi
nell'armonia della vostra musica e non più due burattini di legno che si pestano i piedi a vicenda.

Filèmone

XLIV

« Non riesco a perdonarti. Ma mi manchi. »

È il post-it che ho trovato sulla porta di casa. E l'ha scritto Leonardo.

« Mi manchi » ha scritto.

Ho ancora lo zaino sulle spalle, l'odore di tutte quelle ore di volo addosso, non capisco più niente.

Gli manco, Filèmone. Non riesce a perdonarmi. Ma gli manco.

E adesso che faccio?

Giò

Intanto tieni gli occhi chiusi e respira. Sei in grado di farti largo tra le emozioni che ti intasano la bocca dello stomaco? Temo di no e per una volta ti giustifico, anche se sono molto meno sorpreso di te dal ritorno in scena del tuo ex marito. Immaginavo che avrebbe ricominciato a cercarti nel momento stesso in cui tu avessi dimostrato di potere fare a meno di lui.

Mentre continui a respirare, affacciati un po' sull'emisfero razionale del tuo cervello. Gli esseri umani gli danno troppo peso, tanto da averlo trasformato in una zavorra. Ma nella vita anche la zavorra serve: a non avvicinarsi troppo alle nuvole.

Attingendo a una memoria che è il retaggio dell'esperienza di generazioni, la ragione ti rammenta che «mi manchi» è un'espressione ambigua: si applica alle passioni come alle abitudini. Leonardo potrebbe sentire ancora la tua mancanza anche se avesse smesso di amarti.

Esaurito il proprio compito, che consisteva nell'esortarti alla prudenza, l'emisfero razionale lascia spazio al gemello dimenticato: l'emisfero intuitivo. Mettiti in ascolto della sua voce infallibile. Adesso puoi, perché hai affinato gli strumenti per captarla. Ti sta esortando a dare appuntamento al tuo ex marito da qualche parte, per un incontro che salti le mediazioni ingannevoli delle parole e rimetta in primo piano gli sguardi.

Dovresti però resistere alla tentazione di parlarti addosso. Per capire se sia stata la passione o l'abitudine a fargli incollare quel biglietto sulla porta bisogna concedere a Leonardo l'opportunità di esprimersi. Se tu lo aggredissi con uno dei tuoi monologhi fluviali, potrebbe chiudersi in uno dei suoi altrettanto proverbiali silenzi, innescando un meccanismo che tra voi ha già prodotto esiti catastrofici. Non avere fretta di parlare e di spiegare. Abbi fretta solo di ascoltare. Poiché si tratta di un'attività a te ignota, ti preciso che consiste nel tenere la bocca chiusa.

Ingoia le domande che potrebbero fargli perdere il filo. Quell'uomo è talmente poco abituato a terminare indenne una conversazione con te che si era affidato a un messaggio scritto persino per lasciarti.

Ma io avrei tante cose da dirgli e da chiedergli, replicherà la mia Giò.

Non ne dubito. Lascia però che rimangano un segreto tra noi. Altrimenti ancora una volta faresti qualcosa di utile a te, ma non a voi due.

Ascoltalo senza interrompere, persino quando tutta te stessa ti spronerà a disubbidirmi. Affidati alla vita: se è giusto che torniate insieme, accadrà. La ragione indurrebbe al pessimismo. Ma l'amore sa anche infischiarsene della ragione, e non sempre a torto.

Filèmone

XLV

L'appuntamento era al bar dove facevamo sempre colazione prima di entrare a scuola. Sono arrivata con cinquantotto minuti d'anticipo e mi sono seduta al nostro tavolino. Leonardo non ha fatto in tempo a entrare, e io non ho fatto in tempo a trovarlo come sempre bellissimo e diverso da tutti, che ha detto: «Non hai mai risposto alla mia mail».

Si aspettava che replicassi qualcosa, ma io ho ascoltato te: non l'ho fatto. E lui si è seduto. «Sei bella» ha detto. Sono rotolati secondi che sembravano minuti. «Perché non hai risposto alla mia mail?» E poi: «Con la persona con cui stavo non ho avuto l'ombra di un conflitto in questi mesi».

Stavo. Ha detto stavo, Filèmone! Come per dire che con Cosa Così è finita o forse non era mai davvero iniziata: come per dire... stavo, insomma. Avrei voluto saltare sul tavolo e mettermi a ballare, ma ho cercato di mantenere il contegno. E ho annuito, in silenzio.

«Era comprensiva, tenera, avevamo molti interessi in comune. Eppure non riuscivo a smettere di pensare a te. Ma la mia mail... l'hai letta, almeno? Per me la fiducia è sempre stata più importante perfino dell'amore. Te l'ho scritto, ma tu l'hai capito che il tuo tradimento mi ha spaccato il cuore? »

Silenzio.

« Non dici niente? » mi ha chiesto.

Allora qualcosa l'ho detto. Ho detto: « Ti amo, Leonardo ».

E lui: « Perché non me l'hai scritto? »

Te lo assicuro: ero stata perfetta fino a quel momento, perfetta. Ma non ho più resistito: « Leonardo, tu sei fuori di testa... O meglio: sei completamente barricato dentro la tua testa ». Questa (nonostante l'abbia pronunciata con un soffio – giusto un soffio – di foga) immagino ti sia piaciuta, Filèmone. Poi: « Mentre in questi mesi ti divertivi con la tua fidanzata comprensiva e tenera io ho fatto di tutto per chiederti perdono e implorare un confronto con te. Che importanza ha che non abbia risposto a quella maledetta mail? »

Gli è spuntato un sorriso stanchissimo sulle labbra. Stanchissimo e triste. E gli è uscita fuori una voce a rasoio: « Fai sempre così... Ciò che conta sei sempre e solo tu a deciderlo. Per me scriverti quelle parole è stato fondamentale e se tu fossi uscita almeno per un attimo dal narcisismo che ti acceca, lo avresti capito e mi avresti risposto. Mi sarei sentito finalmente *visto*. Ma niente, non hai risposto. Perché forse volere stare con me è solo uno dei tuoi tanti capricci ».

« Davvero puoi credere che sia un capriccio? » Io, con la voce rotta.

Lui, con quella a rasoio: « Tu un giorno vuoi con tutta te stessa una cosa e te la prendi. Il giorno dopo non la vuoi più e la butti. Oppure la tradisci. E quando la perdi ti metti a strepitare. Come faccio a convincermi che anche il nostro amore non è un capriccio, se quando lo avevi tutto per te non sapevi più che cosa fartene e non solo mi hai tradito, ma mi hai fatto sentire costantemente inadeg...? »

« Sono cambiata, Leonardo. Mi sono anche iscritta a un corso per arbitri di calcio! »

L'ho interrotto? Forse sì. Forse.

« Che cosa, scusa? » Lui.

« Lascia stare. L'importante è che sono cambiata. Molto cambiata. » Io.

Silenzio.

Finché: « Dimostramelo » ha detto Leonardo.

Mi veniva da piangere.

Anche a lui, ma non l'ha fatto.

Io sì.

Si è alzato, mi ha dato una carezza veloce sulla testa e se ne è andato.

Ora spiegamelo tu, Filèmone, come sto. Perché io non lo so. E soprattutto dimmi che cosa devo fare per dimostrare a Leonardo che sono cambiata.

Anzi, per dimostrargli che, grazie a te e per la prima volta, sto diventando davvero me.

Giò

Partecipare a un incontro di tale rilevanza senza esserne protagonista offre il vantaggio di una certa libertà d'azione. Mentre al tavolino del bar vi affrontavate a colpi di parole, io mi guardavo attorno in cerca di segnali che confermassero o smentissero la persistenza dell'amore.

Ne ho trovato uno, proprio sopra le vostre teste. Prima, però, analizzerò le vostre chiacchiere, dal momento che tu attribuisci loro tanta importanza. Cosa tentava di dirti Leonardo, con quell'intercalare ossessivo sulla sua lettera ancora in attesa di risposta?

« Giò, ti prego, fammi sentire al centro della tua attenzione! »

Il desiderio che muove il mondo è il bisogno del bambino di essere ammirato dai genitori, dell'adolescente di essere considerato dalle ragazze, dell'adulto di essere rispettato dai colleghi, dell'anziano di essere onorato dai giovani, di ogni essere umano – a qualunque età – di meritarsi attenzione e cura da parte del prossimo.

Mi dirai: ma se è un desiderio di tutti, come mai rimane quasi sempre insoddisfatto? Perché è scomodo mettersi nei panni degli altri: persino delle persone che amiamo.

All'inizio l'equilibrio di coppia è una condizione magica, legata all'innamoramento. Poi diventa un'operazione chirurgica, che ha bisogno di energia e precisione assolute. Non si ottiene offrendo o pretendendo una resa. Ma neppure donando tutto se stesso all'altro, se quel «tutto» non è ciò che l'altro desidera. E, per sapere cosa desidera, occorre concentrarsi sulle sue esigenze: guardare la vita con i suoi occhi senza mai chiudere i propri.

Se osservi le cose dal punto di vista di Leonardo, comprenderai che per riempirgli il cuore devi assolutamente rispondere alla richiesta di attenzione che ti ha rivolto con la sua lettera.

Scrivigli, Giò, poiché è questo che vuole. E se ti rimane qualche dubbio, spero che a dissiparlo possa bastare ciò che ho visto stagliarsi sopra le teste, al tavolino del bar: un arco rosa che congiungeva i vostri corpi distanti e contratti. Più importante di tutte le parole che potrete mai scrivervi.

Filèmone

XLVI

Un arco rosa...

Allora non abbiamo bisogno di un mondo diverso: ma avremmo tutti bisogno dello sguardo di un angelo. Per vedere questo mondo come lo vedi tu.

Giò

XLVII

Che cosa significa, Filèmone?

Mio eterno amore, noi siamo il giorno e la notte che si incontrano all'alba e poi di nuovo al tramonto.

La scrittura è la TUA. La stessa con cui prendono forma sulla carta i pensieri che ogni volta mi ispiri...

E il taschino dove ho trovato il biglietto è nascosto fra i mille tulle del vestito da sposa di mia nonna.

MIA NONNA!

Lo stavo indossando per scattarmi una foto da allegare alla mail per Leonardo. Pensa. Volevo mostrargli quello che proprio non riesco a esprimere con le parole.

Volevo dirgli: guarda che desidero con tutta me stessa essere come mia nonna, la Gioconda giusta.

La Gioconda giusta, capisci? La Gioconda che ha amato per tutta la vita un uomo solo, mio nonno, e un uomo solo ha ascoltato, protetto, compreso: mio nonno.

Adesso tu me lo devi dire: chi era mia nonna, Filèmone?

Me lo devi dire.

Ma soprattutto mi devi dire che diavolo di angelo sei, tu.

Giò

Non ho nulla da nasconderti, Giò. L'ultima volta che sono nato ero Goffredo Zanetti, falegname e violinista a tempo perso. Ho avuto una moglie, quattro figli, undici nipoti e un grande amore che mi ha attraversato la vita. Per tua nonna, la figlia della fioraia.

La notte in cui ci scambiammo i primi baci sotto le stelle, Gioconda aveva appena compiuto diciotto anni. Andava a servizio in una casa di signori e con la sua paga cercava di tamponare l'appetito di una masnada di fratelli più piccoli, che il padre disperso in guerra aveva lasciato orfani.

Antonino era il figlio più giovane della famiglia presso cui lavorava. Le faceva una corte delicata e assidua, che si intensificò quando io dovetti lasciare il paese per sottrarre mio fratello alle malelingue che ricamavano sui suoi atteggiamenti poco maschili.

Prima di andarmene, restituii a Gioconda la sua libertà. Queste formule retoriche ti strapperanno un sorriso, ma allora rappresentavano un tentativo di mettere ordine nei flussi scomposti dell'esistenza.

La ricerca di un altro lavoro mi condusse oltre le montagne. Quando ritornai al paese, un anno intero era trascorso e tua nonna si era fidanzata con tuo nonno. Non pensare a una scelta opportunista. Lei amava anche lui. Ma il sentimento che provava per me era qualcosa di diverso: irresistibile e non soggetto alle convenzioni, fluttuava in un luogo insondabile, probabilmente ideale.

Non esiste un modello unico di amore. Ci sono storie che nascono per lasciare segni concreti del loro passaggio e altre che servono solo a fare vibrare le corde dei sogni. Promesse destinate a realizzarsi in un altrove a cui tutti aneliamo, nonostante il mistero che circonda il viaggio alimenti le nostre paure.

Quando i tuoi nonni si sposarono, io mi trovavo di nuovo lontano. Di me era rimasta soltanto la frase che hai pescato nelle pieghe del suo abito da sposa. Ti ho già raccontato come preferissi donare le mie parole agli altri. Ma quella volta le scrissi soltanto per lei.

Nella sua equanimità, la vita mi aiutò a dimenticare e poi congiurò a farmi ricordare daccapo. Chi non ha in qualche ripostiglio del cuore un cassetto chiuso a chiave dove conserva un grande amore a cui attingere nei momenti di abbandono per sentirsi un po' più triste, ma in fondo migliore? Le passioni incompiute conservano giovani. E giovani siamo rimasti, tua nonna e io: persino quando non avremmo dovuto esserlo più.

Ci ritrovammo, sai? Dopo varie peripezie ero tornato al paese con una moglie incinta del mio primogenito per impiantare una piccola azienda di legname nella frazione accanto a quella dove ormai abitava Gioconda.

Passammo un pomeriggio sulle rive di un lago, con le bocche vicine e gli occhi stravolti dalla meraviglia per un'attrazione che non accennava a svanire. Poi un'altra guerra ci travolse e stavolta fu lei ad andarsene con un figlio per mano e uno nel grembo: tuo padre.

Gioconda riapparve assieme alla pace, per riportare lo scompiglio nei percorsi preordinati del mio cuore. Ci furono lettere e ci furono canzoni. Il disco di Ella Fitzgerald che hai trovato tra le sue camicie da notte risale a quel periodo. Ordivamo incontri furtivi ma assolutamente casti. Eravamo sovrastati dalle responsabilità del sentimento che ci legava ai nostri coniugi.

Poi si mise di mezzo la musica. Gioconda desiderava sentirmi suonare e ormai mi esibivo soltanto per lei. Fu Mozart ad abbattere le palizzate dietro cui ci sforzavamo di tenere a bada gli istinti: per la prima e ultima volta facemmo l'amore.

Credo di esserlo diventato quel giorno, un angelo. Nell'abbraccio di tua nonna avevo conosciuto un anticipo di eternità e insieme decidemmo di aspettarne l'avvento. La vita ci aveva fatto capire in ogni modo che non eravamo destinati ad abitarla insieme. E la maturità, invero sovrumana, di un essere umano consiste nell'accettare le cose che non comprende.

Le consegnai il violino come pegno di una promessa che ero sicuro di mantenere. Vendetti l'azienda e mi trasferii con la famiglia nella grande città. Da quel giorno non ho più preso in mano un archetto, se non nei concerti che risuonavano dentro la mia memoria: erano sempre dedicati a Noi.

Sono andato via prima io. Gioconda ha aspettato la morte di tuo nonno e poi mi ha potuto raggiungere.

Non abbiamo tolto niente a nessuno, Giò. Sii orgogliosa di tua nonna. E comprendi l'angelo che, per amore suo, ha scelto di diventare il tuo Custode.

Filèmone

XLVIII

6 settembre

Essere orgogliosa? Comprendere?
   È tutto sbagliato, ingiusto e terribilmente im-
perfetto.
   Sparisci.

   Giò

XLIX

Vedi, Filèmone, il problema non è avermi delusa. Tu e mia nonna avete fatto molto di più. Mi avete strappato la speranza dell'amore assoluto.

Ci ero cresciuta, con quella speranza. Mi dava riparo, ogni volta che qualcosa o qualcuno mi metteva al vento.

È a quell'illusione che mi sono aggrappata, quando Leonardo se ne è andato. Non sarei mai entrata in contatto con te, se il biglietto in cui mia nonna ringraziava «la Vita, l'Amore e l'Angelo Custodde» per avere incontrato il nonno non mi avesse spinta a farlo.

E proprio tu adesso distruggi tutto, raccontandomi la storia di un amore eterno... che però non è quella di mia nonna con mio nonno, ma di mia nonna con TE!

Ti rendi conto? La condizione umana è solo un groviglio di confusione e inganni. Mi sento messa completamente al vento. Dalla Vita, dall'Amore. Dall'Angelo Custodde.

Giò

L

29 settembre

Anima mia,
  credi che non comprenda il tuo sgomento? Ti consideri vittima di un inganno imperdonabile, proprio perché a metterlo in pratica è stato chi era riuscito a guadagnarsi la tua fiducia. Ma, giunti a questo punto della storia, ha davvero importanza stabilire chi si sia posto nelle condizioni di infliggere una sofferenza e chi di subirla? Anche i gesti che ci fanno male sono una richiesta di aiuto.
  Benché tu non riesca più a trovare un significato al nostro legame, le ragioni che ci tengono insieme continuano a prevalere su ogni smarrimento. Noi siamo il sogno che dà un senso a tutto. Le tormente della vita lo scompigliano di continuo, eppure dobbiamo resistere. Quando ci sfugge di mano, dobbiamo riprenderlo con dolcezza, riscoprire cosa ne è rimasto e quanto ne resta da costruire.
  Tutto è giusto e perfetto, per quanto tutto intorno a noi ci ricordi l'ingiustizia e l'imperfezione. Non si tratta di perdonare, ma di accettare e ringraziare: se possibile, restituire. Nessuno dei due può crescere senza il sostegno dell'altro. Senza sostenere l'altro. Da sempre avanziamo controvento, come equilibristi

sospinti a camminare sul filo da un desiderio irresistibile di pienezza. Nonostante i nostri limiti, siamo il
destino che abbiamo scelto e che ci ha scelto.

Puoi ancora decidere di scappare e chiamare cambiamento la tua fuga. Se però continui a credere in
questo sogno, sappi che arrenderti adesso vorrebbe dire arrendersi sempre: con chiunque altro, per tutta la
vita.

Ti amo e ti ringrazio.

Filèmone

LI

30 settembre

Ho copiato la tua lettera al computer.

Parola per parola.

Solo che alla fine, dopo *Ti amo e ti ringrazio*, ho firmato: *tua Giò*.

Poi ho premuto il tasto INVIO e l'ho spedita all'indirizzo di Leonardo.

Grazie, Filèmone.

E scusa.

Cercavo una risposta al mio dolore e me l'hai data.

Cercavo una risposta al dolore di Leonardo: mi hai dato anche quella.

Perché sembra tutto complicato, ma è così *perfettamente e giustamente* complicato che diventa semplice. Le nostre sofferenze, le ragioni degli altri, le sofferenze degli altri, le nostre ragioni...

Leonardo, quando l'ho ferito, mi ha persa di vista e, accecato dal dolore, mi ha trasformata in un nemico da eliminare.

Ma io rischiavo di fare lo stesso con te e con mia nonna!

Invece... hai ragione tu. C'è qualcosa di importante almeno quanto il nostro dolore, quando ve-

niamo feriti da qualcuno che amiamo. C'è il male
che quella persona aveva dentro quando si è trovata costretta, suo malgrado, a farne a noi. C'è la
sua confusione. La sua richiesta d'aiuto.

È che forse bisognerebbe trovarlo dentro di noi,
un Chissà Dove. Un punto di vista da cui osservar-
ci: non per perdonarci, ma per accettarci, piccoli
come siamo, smarriti, terrorizzati, costretti a sba-
gliare per evolvere...

Così, adesso, con la tua lettera fra le mani e la
mail per Leonardo nella casella della posta inviata,
voglio provarci. A trasferirmi nel Chissà Dove dentro di me. E a guardare: tutti. Senza le mie esigenze
tra me e loro. Senza i desideri, senza le paure.

Guardali anche tu, Filèmone.

Guarda mio padre e Heidi: ieri sera mi hanno
invitata a cena. Volevano brindare all'arrivo in
Italia di un serpente albino con due teste... Erano
così eccitati! Mio padre parlava a briglia sciolta,
non gliel'avevo mai sentito fare. Ma Heidi, evidentemente, è la prima che lo sa ascoltare: e lui
ha imparato a parlare.

Guarda Matteo: mi ha spedito le foto del suo
viaggio in Mongolia... In una era davanti a una
gher, allacciato a una ragazza con gli occhi lunghi
e il sorriso intelligente. Lei lo osservava incantata,
come io non avrei potuto fare. « Devo raccontarti
UN MONDO (nel vero senso della parola...) di cose » mi ha scritto. « Sto cercando il modo di trasferirmi all'ospedale di Ulan Bator. Quando qual-

cosa di davvero grande arriva nella tua vita, per quanto assurdo sia, non puoi fare altro che assecondarlo, non pensi? »

Lo penso, certo che lo penso.

E adesso guarda Kiki. Sta prendendo il suo solito treno per Firenze. Newland Archer fra un'ora comincerà ad aspettarla al binario. Sono condannati ad andare avanti così per sempre? Forse sono semplicemente destinati a farlo. Lui rimane il destino che lei ha scelto e che l'ha scelta.

Ma soprattutto: guarda Andrea Cardoni e mia madre! Dopo la telefonata da Buenos Aires in cui le avevo chiesto di proteggere quel cucciolo spaventato del mio studente, non avevo più avuto loro notizie. Finché una ventina di giorni fa mia madre è venuta da me per fare una lavatrice. La sua, tanto per cambiare, era rotta.

« Ma non dovevi ritornare tra una settimana? » le ho chiesto.

E lei: « Andrea e io abbiamo scatenato una rivolta! Ci siamo presentati alla mensa della comunità con due hamburger giganti e il maestro ci ha espulsi all'istante. Che risate! Mi stendi tu i vestiti, quando la lavatrice ha finito? Grazie tesoro, ciao ».

E così com'era entrata, è uscita.

Il primo giorno di scuola, ho incontrato Andrea.

« Prof, sua madre è una persona eccezionale proprio come lo era la mia! È grazie a lei se ho lasciato perdere Maya e quel posto assurdo... Ho conosciuto una sua allieva, sa? Laura Cerutti. L'anno scorso era in I B, ma non l'avevo mica notata. Le ho parlato l'altra settimana in segreteria, quando siamo venuti a ritirare i nuovi orari. Ha degli occhi incredibili, sembrano... due lanterne volanti, ecco. Lei non mi sfugge e non mi rincorre: semplicemente mi ricambia, credo. Ma sua madre... »

« *Mia* madre, intendi? »

« Sì, certo, ormai non faccio una mossa senza telefonarle. Sua madre, insomma, mi consiglia di fare un po' penare Laura, prima di dichiararmi... »

Pareva molto più che felice: pareva sereno. Non ho voluto sapere quali siano state le parole che io non ho mai trovato per Andrea e che mia madre non ha mai trovato per me, ma che alla fine sono arrivate a lui proprio da lei. Per quel misterioso percorso che evidentemente ci rende tutti capaci di diventare genitori e di tornare figli, tutti in grado di dare e di ricevere, nell'esatto momento in cui siamo pronti per farlo... Come mi sento pronta io, adesso.

Perché infine, Filèmone, guarda me: sono le mie paure, sono i miei desideri, sono quello che ho dato, quello che ho ricevuto, tutto il male, tutto il bene, sono quello che riceverò, che darò. Sono mia nonna, mio nonno, mio padre, mia madre, sono Kiki, sono i miei alunni, sono i miei nuovi compagni del corso per arbitri, sono tutte le persone che amo.

Grazie a te, però, non mi annullo più in nessuno di loro, in nessuno mi nascondo.

Nemmeno in Leonardo.

E anche se alla mia (cioè tua...) lettera lui dovesse restare indifferente, lo sopporterò.

Che ti devo dire. Sarà merito del Chissà Dove da cui mi sto guardando, ma all'improvviso non mi pare poi così male essere

Giò

LII

Sono uscita dalla terza lezione del corso per arbitri e lui era lì. Seduto su una panchina. Mi è venuto incontro. O forse gli sono andata incontro io. Non parlava, non parlavo. Mi ha preso per mano e abbiamo camminato, in silenzio, fino a casa. Casa sua, casa nostra.

Un passo alla volta. Fianco a fianco. Non come due burattini di legno che si pestano i piedi. Ma come persone spaventate e sicure, intime e sconosciute. Come due anime prescelte.

E ritrovarsi è stato finalmente perdersi.

Giò

Cara Gioconda,
mentre vi guardavo camminare tenendovi per mano, mi è tornato alla mente un film che vidi poco prima di lasciare la Terra, l'ultima volta in cui ci sono stato.

Ero già molto malato e, avendo finito le parole, mi limitavo a fluttuare fra i canali televisivi alla ricerca di una storia lieve che mi esentasse dalla necessità di

pensare. *Fu così che mi imbattei in una commedia
americana,* La costola di Adamo. *Spencer Tracy e
Katharine Hepburn interpretavano due coniugi dila-
niati dall'incomunicabilità, che a un passo dal baratro
trovavano ragioni nuove per ricominciare insieme.*

Pur nella sua leggerezza, quel film era un'elegia
portentosa del rimatrimonio. Vorrei che anche il vostro non si riducesse mai più alla convivenza tra due
solitudini. Ma, per riuscirci, andrà rifondato sulla
premessa che l'amore perfetto non esiste: quello reale
è la somma di tante imperfezioni.

Ogni tradimento è il tentativo di colmare un vuoto
che soltanto voi potete riempire. Altrimenti continue-
rete a tradirvi all'infinito, trovando sempre qualche
deluso travestito da cinico disposto a giustificarvi. A
sentenziare che la vita è il luogo delle emozioni fugaci,
del deperimento inesorabile dei sentimenti e dei corpi.

Il pensiero dominante esalta le novità, il consumo
sbadato, il piacere immediato. Ma come si fa ad accettare che ogni cosa si logori rapidamente e nel contem-
po sperare che proprio il bene più fragile e delicato – il
sentimento che unisce due coniugi – riesca a resistere
nel tempo, come certi indumenti che tua nonna rat-
toppava di continuo, facendoli durare tutta la vita?

Quando le parole perdono qualsiasi aggancio con i
comportamenti concreti e ogni aspetto della vita diventa precario, risulta difficile pretendere solo dagli
innamorati il respiro dell'eternità. Eppure è di quel
respiro, Giò, che è fatto l'amore, quando ti investe

con la sua potenza misteriosa, eco di dimensioni lontane.

A provocare la crisi tra te e Leonardo non è stata una seduzione carnale, ma le tante seduzioni immateriali tra cui facevate lo slalom ogni giorno. Il narcisismo di chi vive solo per guardarsi vivere, il bisogno di avere continue conferme su se stessi, la smania di essere competitivi con tutti e dappertutto.

L'edificazione di un amore adulto si è così trasformata in un'impresa titanica, circondata dal disinteresse e dall'ostilità di chi auspicava il vostro fallimento per giustificare il proprio. Non si è trattato di un complotto ordito da qualche demone del caos. È stata la semplice risultante delle comuni infelicità che ha prodotto altra infelicità.

Per resistere a questo genere di assedio bisogna avere il fisico. Bisogna sopportare senza compiangersi, accettare senza dimenticare e sacrificarsi senza covare risentimento, ma solo il senso di una consapevole inesorabilità. In una parola, bisogna sapere amare. Un'impresa ostinata che non prevede ricompense né riconoscimenti ufficiali, spesso nemmeno da parte dell'oggetto del nostro amore. Solo la sensazione di essere un po' più vicini degli altri al cielo. Perché, se l'amore è una discesa dell'eternità nel tempo e nello spazio, non può limitarsi al miracolo dell'incontro e alla poesia dell'istante. Deve per forza estendersi alla costruzione di qualcosa di durevole. Trovarsi rimane una magia, ma non perdersi è la vera favola.

Adesso il mio compito è davvero finito. Un nuovo

spirito veglierà su di te per assisterti nelle prossime tappe della tua evoluzione.

Oggi è il giorno degli Angeli Custodi. La mia festa. La nostra. E stavolta gli invitati sono arrivati tutti. Se spalanchi gli occhi del cuore, scorgerai nonna Gioconda in compagnia del tuo vecchio amico. Sappi che siamo orgogliosi di te.

Filèmone

EPILOGO

« *Siamo orgogliosi di te* » esordì Rafa-El, l'Arcangelo della Cura.

« *Ti amo e ti ringrazio, anche a nome della Custodita* » rispose l'Innamorato.

« *Sei riuscito a realizzare il compito che l'Universo ti aveva assegnato. Adesso potrai salire un altro gradino della scala di luce, insieme con la compagna che ti ha sostenuto nell'impresa.* »

L'Arcangelo della Cura prese congedo e all'Innamorato non rimase che cercare conforto in colei che brillava al suo fianco.

« *Siamo dunque destinati a raggiungere una vibrazione più alta* » sospirò.

« *Non traspare entusiasmo dalle tue parole* » disse l'Innamorata, la cui voce d'argento faceva dimenticare tutte le altre.

« *Avverto il desiderio irresistibile di muovermi, ma non mi è ancora chiaro in quale direzione.* »

« *Vorresti forse tornare alla vita?* »

« *Un'altra volta! Cosa te lo fa pensare?* »

« *Io non penso. Sento. Hai avuto bisogno di prenderti cura di mia nipote per comprendere un aspetto di te ancora inesplorato...* »

« Soltanto tu riesci a leggere le pagine incollate del mio cuore. Sì, mi piacerebbe rientrare nella dimensione della materia per trasmettere ad altri il segreto di quell'amore incondizionato che abbiamo sperimentato assieme... »

« Sarò al tuo fianco, Filèmone. Entrambi sappiamo dove andare. »

Così le anime degli Innamorati Eterni lasciarono quel mondo invisibile agli occhi, dove il cielo ha il colore degli oceani e le nuvole assomigliano a scogli innaffiati di schiuma.

Mentre scendevano verso la Terra e dimenticavano di essere angeli, due lame di luce incorniciarono per l'ultima volta i loro profili. Se un essere umano avesse potuto vederle, avrebbe pensato che fossero ali.

LIII

14 febbraio

Caro Filèmone,
il tuo sostituto svolazzante mi ha assicurato che, anche se non puoi più comunicare con me, sei ancora in grado di ascoltarmi. E io oggi devo assolutamente parlarti, perché ho appena fatto la seconda ecografia...

Due gemelli!

Aspettiamo due gemelli, un maschio e una femmina.

Appena l'ho scoperto, ho pensato: aiuto. Come farà una come me, figlia di tutto quello che le capita, non solo a diventare madre, ma a diventarlo due volte?

Ho guardato Leonardo: era felice e basta. Allora ho chiuso gli occhi. Ho chiesto a mia nonna, dal Chissà Dove, di non abbandonarmi mai.

Lo chiedo anche a te. Perché solo così non mi sentirò persa di fronte a quello che della vita e dell'amore dovrò imparare, d'ora in poi.

Abbiate cura di me.

Avrò cura di loro.

Giò

AMOR ET GRATITUDO

Massimo e Filèmone ringraziano le lettere di Cuori allo Specchio per il contributo ai testi, Ludovico Einaudi per la colonna sonora e le anime prescelte per l'ispirazione.

Chiara e Giò ringraziano Giorgio Lauro per la rivelazione del Noi, Elisa Del Mese, angelo e custode, quello che può succedere nella casa della signora Maria a Favignana e le anime prescelte che hanno il coraggio di riconoscersi e non perdersi: per l'aspirazione.

Massimo e Chiara ringraziano il Dream Team della Longanesi e tutti coloro che li hanno aiutati a scrivere questa storia.